# L'ÉTÉ DE LA SAINT-VALENTIN

DU MÊME AUTEUR

*Les Gens de Misar*, Albin Michel, 1972
*Les Remparts d'Adrien*, Albin Michel, 1975
*Le Jardin des absents*, Albin Michel, 1977
*Monsieur de Lyon*, Albin Michel, 1979
*La Disgrâce*, Albin Michel, 1981

NICOLE AVRIL

# L'ÉTÉ DE LA SAINT-VALENTIN

PAUVERT

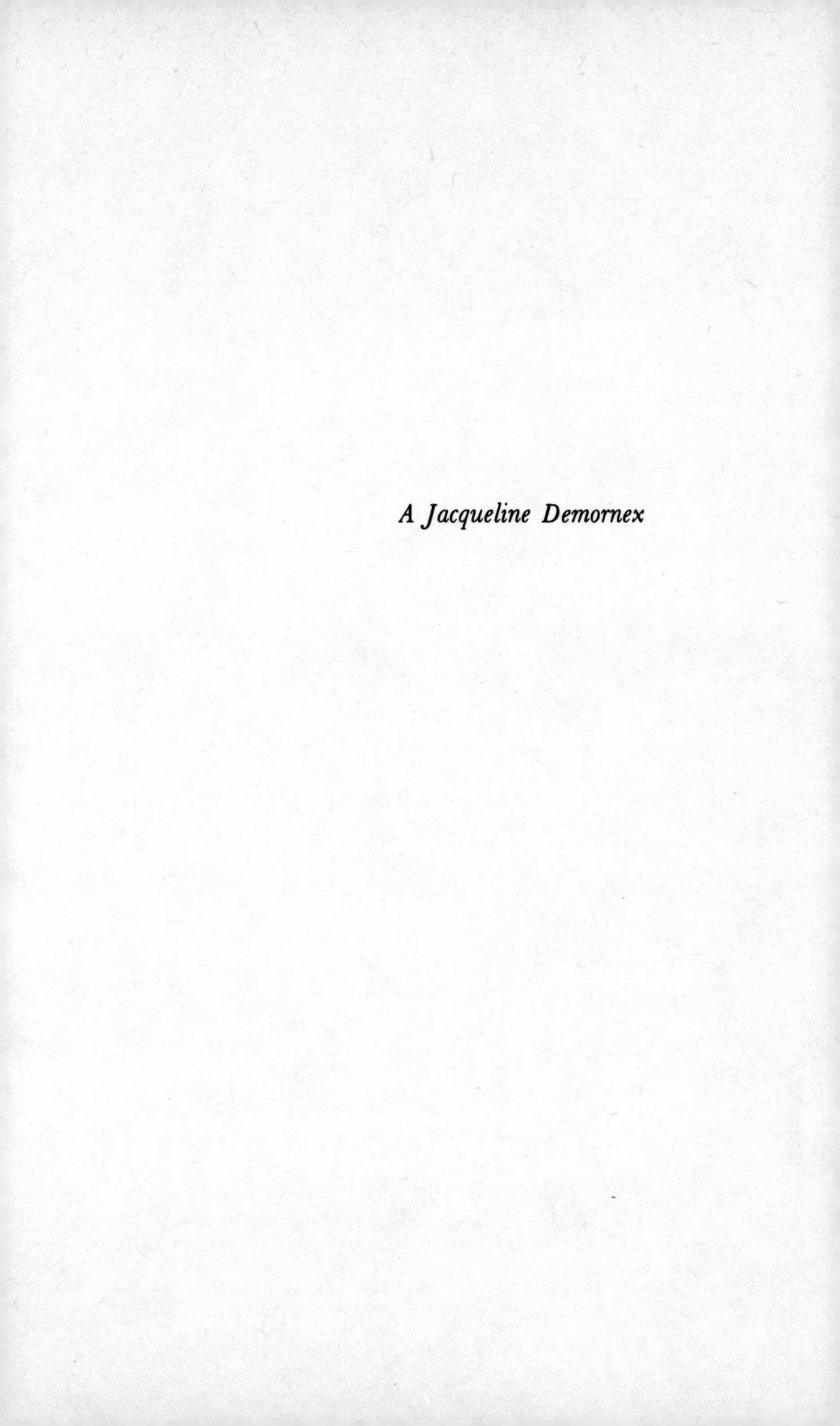

*A Jacqueline Demornex*

# 1

– Profession ?
– Professeur de Lettres.
– Mariée ?
– Oui.
– Depuis quand ?

Claire avait réfléchi un instant. C'est drôle, elle n'avait jamais pu retenir la date de son mariage. Chaque fois, elle devait se livrer à un petit calcul. Le nom de la rue ? Voilà, rue du 4-Septembre ; la mairie était située rue du 4-Septembre. Elle s'était donc mariée le 3 puisque le maire de la petite ville avait dit : « Vous êtes un peu en avance ; mais pour être heureux, on n'arrive jamais trop tôt. »

– Il y aura trois ans le 3 septembre, avait répondu Claire.

– Combien d'enfants ?
– Zéro, docteur.
– Souhaitez-vous être mère ? avait-il poursuivi avec emphase.
– Oui, bien sûr.
– Et... vous ne pouvez pas avoir d'enfant ?
– Si, si, avait-elle protesté. « Je peux... »

Elle était surprise de cet aveu qui lui avait échappé presque malgré elle.

– Alors qu'attendez-vous ?

– Plus tard, docteur, plus tard...

Il y avait des cèdres dans le parc. C'était à cause d'eux que Claire avait désiré cet appartement. Allongée au soleil, elle regardait le docteur Blanchard-Mallot remonter l'allée en courant derrière ses quatre filles qu'il fustigeait d'un fouet imaginaire. Il faisait « le char romain » ; c'est ainsi qu'il appelait son exhibition quotidienne.

Elle se souvenait de l'interrogatoire policier auquel il l'avait soumise six mois plus tôt quand elle l'avait consulté pour une mauvaise grippe. C'est pratique un médecin dans la maison. Les longues terrasses, les « jardins privatifs au premier niveau » et le corps médical au quatrième ; tout avait été prévu. A dix kilomètres de Paris, une zone résidentielle inespérée.

Est-ce une faute si grave de ne pas avoir procréé quand on a vingt-cinq ans ?

Rien n'est grave, pensait Claire en tendant sa joue au soleil. Rien n'est grave quand l'été s'annonce. Juin est là. Il va faire chaud ; il fait chaud. En maillot de bain sur une terrasse, il est difficile de ne pas prendre des poses hollywoodiennes. Avant d'être mariée, bien des hommes ont dit à Claire qu'elle avait du charme, même qu'elle était belle ; elle les a crus. Elle plaît comme elle respire.

Plus tard, plus tard, avait-elle répondu. Oui, elle aurait un enfant, peut-être deux ; mais ils sont tellement plus beaux à l'état de projet et ils ne vous réveillent pas la nuit.

Claire sur la terrasse – je m'ensoleille, dit-elle –

corrigeait les dernières dissertations de l'année scolaire, tandis que les élèves se gavaient de ces aide-mémoires qui, en dix questions-réponses, font toute la lumière sur Schopenhauer, Camus ou un demi-siècle de guerres balkaniques. Le monde et ses millénaires de sang et d'intelligence avait quinze jours pour se comprimer à la taille de petites cervelles en mal de bachotage. Ensuite viendraient les examens, la distribution des prix et enfin s'ouvrirait le no man's land des vacances, la parenthèse, l'entre-deux.

Claire et Jacques attendaient ce moment-là ; Claire surtout. Elle aimait les convalescences et chaque été se gonflait de vacuité. A l'instant même où l'emploi du temps était rejeté dans le passé, la vie jaillissait de nouveau. Parfois, éblouie, elle fermait les yeux, mais son corps s'ouvrait malgré elle au soleil et au rire.

Quand Jacques cessait de taper à la machine, elle écoutait le jet d'eau du parc. Les voisines en short blanc, une raquette d'une main, un enfant de l'autre, allaient vers leurs cinq à sept.

– Que ferons-nous cet été ? avait-elle demandé à Jacques.

– Ce que tu veux, avait-il répondu en mâchonnant le filtre de sa cigarette. Elle n'aimait pas ces mégots torturés qu'il dispersait aux quatre coins de l'appartement, non qu'elle fût une ménagère maniaque, mais elle éprouvait une répulsion instinctive pour les cigarettes humides et les mains moites.

Ce que tu veux, ce que tu veux... Jacques avait tout épousé de Claire. Il s'en remettait à elle pour les vacances comme pour le reste. Caire l'observait : trente-quatre ans et ce sourire d'enfance des hommes trop longtemps protégés par l'amour maternel. Jacques n'avait jamais su faire la différence entre ses rêves et la réalité. Claire l'accusait de mentir. Qu'y pouvait-il ? Dans son esprit, le vrai et le faux communiquaient. Juste sous sa peau, il avait sécrété un mince rempart adipeux ; il s'y sentai à l'abri comme un bernard-l'hermite dans la coquille des autres. Avec son visage large et sa calvitie naissante, on aurait dit un sénateur romain de la décadence. Il avait de l'humour en privé et de la sensualité uniquement à table.

Claire regardait Jacques penché sur sa machine à écrire, les sourcils froncés, les yeux perdus. Elle ressentait cette lourdeur très douce de la femme qui tient un être à sa merci. C'est pesant, pas toujours confortable, mais on se croit forte et moins seule.

Oui, docteur, je suis mariée. Mais, voyez-vous, mon mari réclame tous mes soins. Dans ces conditions, comment envisager d'avoir un enfant ? Et puis, docteur, parfois je trouve que c'est déjà beaucoup d'être la mère et la sœur, le chauffeur et l'intendante, l'homme et la femme. Oui, l'homme et la femme, docteur ; et j'accepte mal ce rôle d'hermaphrodite. Je sais, dans la nature, il y en a bien des exemples : l'escargot, la sangsue, le ver de terre... Non, docteur, je vous assure, je préfère attendre que Jacques soit adulte.

Je ne pense pas que vous auriez compris, docteur ; aussi, n'ai-je rien dit de tout cela.

Parfois la machine s'emballait et Claire l'accompagnait de ses vœux. A cé rythme-là, Jacques aurait plusieurs pages à lui lire ce soir. Mon Dieu, faites qu'il trouve les phrases ; faites que ses personnages vivent, que les idées fulgurent, que les mots étonnent ; faites qu'il écrive une pièce de théâtre inoubliable. Ainsi, priait Claire pour que l'inspiration soit donnée à son époux, et elle avait la ferveur des turfistes quand arrive le dimanche après-midi.

Si sa pièce est belle, s'il a l'estime des uns et la jalousie des autres, alors je ne me serais pas trompée. Le moulin à prières tournait à la cadence de la Remington.

Jacques avait d'abord écrit des saynètes que ses élèves interprétaient. C'était léger, gai, sans relent de patronage. Claire l'avait aisément persuadé qu'il pouvait faire mieux. Il serait Brecht ou rien du tout, Ionesco ou Beckett au pis aller...

Depuis trois mois, Jacques travaillait aux « Remparts d'Aurélien ». Sur de grandes feuilles de papier Canson, il dessinait le dispositif scénique, tandis que Claire entourait son mari de dictionnaires, de silence et d'encouragements. Chaque aller-retour de machine les rapprochait de l'heure tragi-comique où, dans un petit bar devant un blanc sec, ils attendraient le verdict du public non-payant des Générales.

Jacques et Claire s'occupaient aussi des activités de la Maison des Jeunes et de la Culture dont les locaux tenaient à la fois de l'hôtel particulier et de la maison de saindoux. Ils dirigeaient la troupe d'amateurs et faisaient venir des professionnels du théâtre et du music-hall. Ce soir, ils étaient invités dans un théâtre de banlieue à la représentation d'une pièce de Gorki. Si la pièce leur plaisait et si le directeur de la troupe n'était pas trop gourmand, ils feraient acheter le spectacle par la M.J.C.

Quand le soleil déclina derrière les cèdres, que

les écrans de télévision brillèrent dans les grands salons vitrés et que la Remington à bout d'inspiration se tut, Claire et Jacques dînèrent de fromages et de beaujolais.

Jacques gardait de ses origines savoyardes un goût immodéré pour les pâtes caoutchoutées des tommes au fenouil ou aux raisins, et un amour tout platonique de la montagne. Il rêvait d'elle, il l'évoquait, mais il se gardait bien de la souiller de skis ou de chaussures cloutées. Jacques craignait les contacts directs ; il ne lui restait que le langage et les songes pour s'approprier le monde.

En revanche, Claire avait besoin de toucher, de sentir, de caresser. Une joue était belle quand ses lèvres s'y posaient et la nourriture bien meilleure sans fourchette. Elle aimait lécher ses mains pleines de sauce et le fond de son assiette où elle écrasait des fraises dans la crème fraîche et le sucre vanillé. « Fière mais sale », disait sa mère à cet enfant qui ne savait pas se tenir à table. Qu'importait, son cousin Benoît lui avait confié un jour, il y avait dix-huit ans de cela : « Plus tard, je me marierai avec une ogresse. » Benoît ne commençait jamais à manger qu'après avoir trempé un doigt dans son assiette et l'avoir tendu à Claire pour qu'elle le léchât. « Ces enfants sont vicieux », avait dit un soir tante Babel ; Claire et Benoît n'avaient pas compris.

Claire choisit une robe d'un rouge vif, chaussa des sandales et releva ses cheveux. Assis sur le bord de la baignoire, Jacques lui lisait un article, tandis qu'elle vérifiait sa coiffure dans la glace. « La nuque est ce qu'il y a de plus émouvant chez une femme », pensa-t-elle.

Jacques quitta la salle de bains. Claire en profita

pour parcourir rapidement les colonnes qu'il venait de lui lire. Elle trouva sans peine ce qu'elle cherchait : cette fois encore, Jacques avait ajouté une phrase de son invention et en avait modifié deux autres. La signification de l'ensemble s'en trouvait tout juste altérée ; il ne s'agissait pas pour lui de mentir pour donner plus de force à des opinions personnelles, mais d'une manière de gauchir la réalité pour la faire sienne, de la déformer à sa forme. S'il avait dénaturé le texte pour affirmer ses convictions politiques, Claire aurait compris ; s'il avait été infidèle et qu'il eût maquillé sa conduite, Claire aurait été assassinée dans son amour-propre, mais ses motifs lui auraient paru limpides. Ce n'était pas cela ; ni la politique, ni la concupiscence ne le prenaient aux entrailles. Malgré l'irréprochable fidélité de son mari, il devenait pourtant évident que Claire était une femme trompée et qu'elle accumulait les pièces à conviction.

Elle reposa le journal sans rien dire. Ce soir, elle avait décidé d'être gaie.

Claire aimait conduire et prétendait le faire bien. Jacques lui dit de tourner à droite ; elle tourna à droite. Le théâtre n'était toujours pas en vue. Elle demanda sa route à un chauffeur de poids lourd qui l'invita à le suivre. « Fiez-vous à moi, mademoiselle », cria-t-il.

– Pourquoi te dit-on toujours mademoiselle ?

– Si tu étais mon mari, tu serais assis à ma place.

Le chauffeur lui adressa trois coups de klaxon et un sourire goguenard ; ils étaient arrivés. Du béton, un vitrail agressif et des affiches. Au cœur d'une banlieue sordide, il était là le temple où Claire et Jacques allaient pénétrer avec ferveur.

Les fidèles, vêtus de jeans délavés et de pulls à cols roulés, des journaux et des livres plein les bras, discutaient par petits groupes. Claire se souvint des années où elle était étudiante, de ce congé hors la vie qu'elle avait cru sans fin.

Elle se rappela l'intransigeance des idées, la violence des mots. « Il ne faut pas adoucir les angles ; tu es dure, reste dure », disait Jean-Marc, son amant, son complice. Il lui avait offert *Les chants de l'innocence et de l'expérience* de William Blake, et, sur une des pages de garde, il avait écrit : « Claire est dure et claire. » Il était petit, nerveux et laid. Elle aimait son intelligence et sa hargne.

Ce n'est pas si vieux, pensa-t-elle. Elle s'en voulut de cet instant de nostalgie. N'avait-elle pas l'habitude d'affirmer : « Je ne regrette jamais rien » ?

Elle les regardait. Elle les avait bien connus ; et, ce soir, ils étaient là, ceux d'autrefois, ceux d'aujourd'hui, les mêmes : les loups hirsutes et rageurs et les gentils androgynes de la Renaissance italienne aux coiffures d'ange et aux corps flexibles.

La sonnette retentit ; ils entrèrent dans l'amphi, le cours magistral commençait. Les spectateurs étaient studieux.

On était en Russie, une société agonisait, une famille s'effritait, des êtres s'enlisaient les yeux ouverts, la bouche muette. Les riches comptaient leurs roubles, les femmes caressaient le samovar, les petites filles se gavaient de bonbons et de méchanceté, les hommes dansaient au son des balalaïkas et des tambourins. Alors vint Rachel. Elle était juive, révolutionnaire et exilée ; elle avait un langage prémonitoire : « Vous, les gens de votre espèce, votre classe de maîtres, vous n'en avez plus pour longtemps à vivre. Un autre maître grandit, une force menaçante grandit qui vous écrasera. »

On applaudissait. Jacques se pencha vers Claire :

– Dommage que Gorki n'ait écrit cette version de la pièce qu'en 36.

– Pourquoi ? demanda Claire.

– Imagine ce que cela aurait représenté en 1905.

Oui, elle savait bien qu'il était plus facile de jouer les oracles a posteriori, mais pourquoi lui gâcher son plaisir ? Il y avait ce lent naufrage, cette mort feutrée qui à son point ultime était résurrection.

La pièce s'achevait ; les acteurs restaient figés, tandis que les images d'Octobre et la musique de Prokofiev envahissaient la scène et la salle. On applaudissait Eisenstein, on applaudissait la Révolution ; les acteurs étaient immobiles.

Les amis des comédiens se dirigèrent vers les coulisses ; Claire et Jacques les suivirent, intimidés et voyeurs. On se congratulait, on s'embrassait, une bouteille de vin circulait et on buvait à la régalade. On se donnait les dernières nouvelles professionnelles. On allait et venait dans un nuage de fumée, dans une bulle de savon irisée que le bruit et la chaleur feraient éclater d'une minute à l'autre. Comédiennes à demi vêtues, aux cheveux collés par la transpiration, à la peau brillante ; volants, dentelles des robes d'autrefois ; rires énervés.

Une jeune femme très belle, les cheveux défaits jusqu'à la taille, enlevait sa robe de scène. Vêtue de son seul jupon 1900, elle prit à partie un grand homme décharné dont le visage était dissimulé sous un chapeau noir à larges bords comme en portent les paysans espagnols.

– Mais enfin regarde, disait-elle en brandissant sa robe. Je ne peux pas me montrer en scène avec cette énorme tache.

– Emporte ta robe et débrouille-toi pour la faire nettoyer dans la journée.

– J'ai une télé demain.

– Bon, donne ta robe à Françoise et ne nous em... pas.

L'homme au chapeau se dirigea vers eux. Espagnol, il paraissait bien l'être. Les joues creuses, les sourcils noirs, les membres étirés, avec dans le corps et sur le visage une passion tendre et douloureuse. Un Christ peint par le Gréco.

C'était lui qu'ils avaient cherché et il venait à eux. Il serrait des mains, répondait d'un calembour ou d'une obscénité aux félicitations. Il parlait à Jacques et à d'autres personnes que Claire ne connaissait pas. Quelqu'un, elle ne savait plus qui, peut-être était-ce Jacques, fit remarquer le nombre important de femmes dans la pièce de Gorki. A ce moment-là, une main anonyme tendit à Claire un verre de vin rouge. La boisson était âpre et chaude. L'homme au chapeau dit :

– Pourquoi pas ? Les révolutionnaires sont des économistes, et les femmes, les tiroirs-caisses des familles. Ils devront fatalement se rencontrer.

Il se tourna vers elle et la regarda avec la curiosité des enfants :

– Vous êtes professeur ?

Elle saisit le bras de Jacques et répondit :

– Nous sommes tous deux professeurs.

Il se cassa dans un salut exagérément obséquieux :

– Félicitations. Je suis Malval : metteur en scène,

comédien, régisseur, colleur d'affiches. A la scène comme à la ville, nous faisons tout nous-mêmes.

Jacques et l'homme au chapeau parlèrent longtemps. Claire les regardait et un sourire errait sur ses lèvres. Elle sentait que leur couple allait sortir de sa solitude et elle en rougissait de plaisir.

Quand ils se quittèrent, ils étaient amis. A jeudi, s'étaient-ils répétés plusieurs fois, comme si la séparation leur paraissait déjà difficile.

Lorsque Claire fut de nouveau au volant, elle pensa tout haut :

– Dieu, que j'ai faim !

Allongée sur la terrasse, Claire guettait le bruit de la grille qui annoncerait le visiteur. Quand elle l'entendit, elle vérifia qu'il s'agissait bien de la longue silhouette attendue. Claire fut doublement surprise : l'Espagnol n'était pas seul et il ne portait pas le chapeau noir, à larges bords, qui lui était déjà familier.

Un jeune homme plus petit, plus sage, l'accompagnait. Claire en fut mécontente. L'Espagnol avait semblé promettre son amitié à Jacques et elle espérait qu'il deviendrait le compagnon de jeu de son enfant gâté. Et si Jacques allait être déçu ?... qui sait, peut-être jaloux ?

Elle se leva et leur fit un signe de la main, puis enfila une robe sur son maillot. Quand elle leur ouvrit, l'Espagnol dit que le bikini, qu'il avait aperçu au loin, semblait convenir à la situation et qu'il en regrettait la disparition.

– J'ai mis ma robe pour vous punir d'avoir oublié votre chapeau, répondit-elle en riant.

Le jeune homme sage s'appelait Michel et il était chargé de l'administration de la compagnie.

Comme on en était aux présentations, Claire dit à l'Espagnol avec une timidité feinte :

– Excusez-moi, mais je ne me souviens pas de votre prénom.

– Si vous l'avez oublié, c'est donc qu'il est sans importance. Il ne vous reste plus qu'à me rebaptiser ; peut-être ainsi vous souviendrez-vous. Allez, dites ! Comment allez-vous m'appeler ?

Claire ne lui répondit pas tout de suite. Elle ne l'avait pas vraiment regardé lors de leur première rencontre. Soudain, il existait. Elle vit ses yeux : ils étaient fous. Elle entendit sa voix : elle était douce, profonde, lente. Mais ce fut son rire qu'elle écouta, un rire qui mettait en cause tout son corps ; elle pensa : seuls les dieux peuvent rire ainsi.

Claire versait des pastis si monstrueux que l'eau en était bannie faute de place.

– Ne buvez pas avant mon baptême, lui dit-il. Ce serait sacrilège et vous me donneriez un prénom insensé.

Il allait continuer, mais Claire l'arrêta net en levant la main et annonça :

– Vous serez : Valentin.

On but et on proposa d'abolir une fois pour toutes les monsieur, les madame et de faire sauter le carcan du vous. Il fallut plus d'une heure à Claire pour remarquer la beauté de Michel ; elle n'aimait pas les hommes beaux. Les traits réguliers de Jacques étaient à la limite du supportable.

Les bavardages et l'alcool coulèrent tout l'après-midi et, quand on se leva, les jambes étaient molles et les cervelles en délire. Ils allèrent jusqu'à la salle municipale pour en vérifier l'équipement technique. On décida de ne prendre qu'une seule voiture. Claire s'installa au volant. Elle jouait à prendre les virages à la corde et les rues à la sauvage. Sa joie la protégeait. Elle riait du crissement des pneus, des mises en garde de Jacques.

– Tu ne vois pas, Jacques, qu'elle se délecte de tes reproches, dit Valentin.

Les cintres étaient vétustes, le jeu d'orgue ne valait guère mieux, mais Valentin – il mettait toute sa fierté à se nommer ainsi – déclara qu'avec un peu de travail il viendrait à bout des difficultés. La troupe se produirait au mois d'octobre.

La date fit frémir Claire. Il était loin, le mois d'octobre. Il y avait à peine deux jours, elle rêvait de vacances éternelles ; à présent, l'éternité l'effrayait. Elle se souvint de la phrase de Gorki projetée sur l'écran : « Les obstacles sont là pour qu'on les franchisse. » Comment franchit-on l'éternité ?

Ils piétinaient sur le trottoir. Ce n'était plus le flot tranquille de la conversation. Seul Michel était inchangé ; les trois autres cherchaient le moyen de se quitter sans se quitter. Ce fut Valentin qui le trouva.

– Samedi soir, nous assistons au concours des jeunes compagnies, salle Gémier, venez avec nous.

Jacques répondit que c'était impossible ; ce soir-là, ils devaient dîner chez ses parents. Claire lut sur son visage qu'il le déplorait autant qu'elle. Jacques proposa le dimanche, mais Michel avait un empêchement.

– Tant pis, tranchons dans le vif, conclut Valentin. Retrouvons-nous dimanche soir. Je t'abandonnerai, Michel.

Valentin avait sacrifié Michel à leur nouvelle

amitié. Claire en fut émue et admira son mari d'avoir su inspirer de tels sentiments.

Quand ils furent seuls, elle demanda à Jacques de l'emmener dîner dans un bistrot de la place Dauphine. Elle se sentait belle, heureuse, affamée. Elle aurait voulu que Jacques la regardât et lui dît : « Tu es la vie. » Elle ne réclamait pas des caresses, elle en avait perdu la mémoire ; elle ne demandait qu'un regard neuf sur elle.

Ils s'étaient donné rendez-vous dans les jardins du Trocadéro. C'était un vrai soir d'été. Pas de cigales, pas de grillons, mais des étoiles et des jets d'eau. Les jeunes étrangères dévoraient des sandwiches, les cuisses offertes à la chaleur et aux regards des enfants qui en oubliaient leurs patins à roulettes. On goûtait le serein et un air de liberté qui faisait les vacances proches.

Cette fois encore, Valentin n'était pas seul. Françoise l'accompagnait. Ils vivaient ensemble depuis deux ans dans un petit studio de Montparnasse. Ils racontèrent qu'ils étaient cousins germains mais que des querelles avaient séparé leurs parents. Ainsi ne s'étaient-ils connus qu'à l'âge adulte. Maintenant leurs liens n'avaient plus rien de familial et ils n'en faisaient pas mystère.

Françoise avait un sourire très doux qui s'arrêtait juste avant le rire et sa discrétion contrastait avec les éclats de Valentin. On avait peine à croire en ce cousinage tant ils étaient différents l'un de l'autre. L'interdit qui planait sur leurs amours semblait faire les délices de Valentin. Claire pensa un instant qu'il avait inventé ce roman. Elle imagina un Valentin aux tempes grises, donnant la main à une longue femme-enfant, qu'il présenterait ainsi :

– Ma fille : elle s'appelle Fleur. Mon ex-épouse me l'a enlevée à l'âge de trois mois et l'a emmenée vivre en Australie. Puis elle s'est éprise d'un homme qui faisait du cabotage dans les îles du Pacifique Sud ; alors, Fleur fut mise en nourrice à Bora-Bora. Ensuite la mère suivit un guerillero et prit le maquis en Bolivie, tandis que Fleur étudiait dans un campus californien. A dix-neuf ans, elle se fit émanciper et partit à ma recherche. Dès notre première rencontre, ce fut le coup de foudre ; maintenant nous nous aimons et la voix du sang n'y est pour rien.

C'était absurde : Valentin n'aurait jamais cinquante ans. Ne répétait-il pas qu'il avait l'âge d Christ ? Dans sa bouche, ces mots étaient un ultimatum.

La douce Françoise n'avait pas de regard ; ses yeux étaient si petits derrière ses lunettes qu'ils lui donnaient l'air d'un croquis inachevé. Sa peau était laiteuse, ses cheveux d'une finesse enfantine ; et, sa lourde poitrine, ses jambes nerveuses pouvaient lui attirer des hommages dont elle s'effaroucherait sans doute.

Elle n'était ni belle, ni laide. Elle ne se jetait pas à la figure des gens. Elle avait une retenue qui donnait des envies de viol, d'un viol très lent et sournois ; il devait faire bon s'insinuer en elle et tant pis pour les zélateurs de la beauté traditionnelle.

Pendant le spectacle, Claire la regardait à la dérobée. Elle aimait scruter le visage des femmes pour essayer de découvrir ce que chacun d'eux pouvait avoir d'irremplaçable aux yeux d'un homme. Elle avait une conception idéaliste et un peu naïve de l'amour ; elle croyait encore à ces pommes coupées en deux qui ne reprennent vie qu'au contact de leur moitié, de leur double. Elle, l'iconoclaste, la sans-foi, elle allait jusqu'à se persuader qu'une injustice immanente veillait sur les accouplements et faisait que le visage le plus ingrat pouvait se métamorphoser par la grâce d'un regard amoureux.

Elle n'avait jamais été pensionnaire et elle regrettait que les femmes ne l'eussent pas initiée aux gestes de l'amour. Quand elle y avait songé, le temps des caresses adolescentes était déjà révolu et elle avait eu l'impression d'être passée à côté d'un des secrets du monde.

La pièce les laissa indifférents ; ils n'y trouvaient ni la violence des idées, ni celle des passions. Mais cette déconvenue ne gâcha pas leur soirée. Ils dînèrent à une terrasse de Saint-Germain. Il faisait noir et chaud. L'odeur de l'asphalte brûlant et des pizzas, les rires des filles et la nuit... La fête était pour eux quatre. Ils caressaient des projets et rêvaient de villes aux noms étranges. Ils se sentaient envahis par une sorte de jubilation et un sentiment d'irresponsabilité qui gommaient les inquiétudes du présent et de l'avenir, et faisaient croire en la vie.

Valentin leur apprit qu'il partirait en Turquie le mois suivant, son spectacle devant représenter la France au Festival d'Istanbul. Françoise, retenue par des obligations familiales, ne l'accompagnerait pas. Claire et Jacques promirent d'aller jusqu'aux rives du Bosphore encourager Valentin et Gorki.

Ils marchèrent sous la lune. Des promeneurs chantaient ; ils chantèrent aussi, excités par l'alcool et le plaisir d'être ensemble. De retour chez eux, Jacques et Claire convinrent du bonheur que leur procurait cette amitié toute neuve mais déjà indispensable. Ils ne firent pas l'amour ; pourtant Jacques prit sa femme dans ses bras avec une grande tendresse et lui dit en s'endormant : « Heureusement que je t'ai rencontrée. »

Françoise et Valentin vinrent plusieurs fois dîner dans la grande salle à manger flamande et les soirées ne se terminaient jamais avant deux heures du matin. On s'asseyait sur le tapis autour de la table de marbre dont Claire aimait la forme dépouillée. Si elle méprisait l'argent, elle avait du goût pour les objets qu'il permettait d'acquérir. Elle ne se référait pas à l'étalon-or et traduisait toute monnaie en capital de joie et de beauté.

Elle savait aussi que les choses les plus précieuses ne sont pas celles que l'on achète mais celles qui vues, même une seule fois, demeurent en soi par l'alchimie intime du souvenir et de l'amour. Ainsi possédait-elle une plage de Charente aperçue à marée basse, le brouillard frisant l'écume, un visage d'élève dont le front bombé lui rappelait la jeune fille de Petrus Christus, et quelques fleurs de l'hiver finissant.

Jacques, Claire, Françoise et Valentin se ressemblaient : entre être et avoir, à coup sûr ils auraient choisi d'être.

Un soir, Valentin apprit à Claire et Jacques qu'il

n'avait pas une goutte de sang espagnol, mais qu'il était le fruit du croisement, ô combien étrange, d'une Hongroise et d'un Belge. Claire demanda si les vampires remontaient le Danube jusqu'au pays des Magyars et Jacques moqua la passion de sa femme pour les films d'épouvante. Claire n'eut cure du rieur et raconta avec force détails comment dans « Les fiancées de Dracula », l'homme-diable se labourait le torse de ses ongles et intimait l'ordre à la jeune pucelle de boire son sang ; comment ensuite il se précipitait sur les carotides de sa victime consentante.

Alors Valentin se leva, tira d'un geste sec les rideaux rouges de la salle de séjour, fit l'obscurité et se saisit du flambeau à quatre bougies qu'il alluma.

La pièce ne fut plus qu'ombre et lumière ; l'inquiétude régnait comme aux plus belles nuits des co-productions anglo-balkaniques. Valentin ouvrit sa chemise, se griffa la poitrine et, face à Claire, répéta trois fois :

– Car ceci est mon sang.

Il lui ordonna de le boire comme elle l'avait vu faire à la fiancée de Dracula, précisant qu'elle n'avait rien à craindre même si le rôle de la jeune pucelle lui paraissait être de composition.

Claire n'était pas effrayée, seuls les chiens lui faisaient peur, mais elle regardait Valentin. Son long nez, son visage maigre, son regard agressif, sa poitrine qui gardait les traces de ses ongles. La lumière des bougies creusait encore plus ses orbites et ses joues.

Elle le regardait et on aurait pu croire qu'elle se concentrait pour mieux interpréter son personnage. Françoise et Jacques ne riaient plus. Valentin fixait Claire de son regard fou pour une fois immobile. Elle le regardait sans bouger ; il lui sembla qu'elle ne pourrait plus sortir de cette contemplation. Elle se sentit troublée, puis elle eut soudain conscience du silence des autres. Il fallait faire quelque chose, dire un mot, inventer une phrase. Ce n'était pas possible d'être aussi muette ! Ce n'était pas possible de se laisser prendre à ses propres pièges ! Surtout ne pas s'approcher de lui, surtout ne pas le toucher et reculer si elle en trouvait la force. Le mieux serait de crier ; c'est cela : crier. Elle cria. Quand enfin elle put rire, son rire auquel elle avait l'habitude de se livrer les yeux fermés, cette fois encore la protégea.

La conversation reprit son cours. De nouveau, Claire eut toutes les audaces et Valentin renchérit. Peu à peu les discussions se développèrent dans deux registres. Françoise et Jacques choisissaient le calme et le bon sens ; Valentin et Claire se jetaient à corps perdus dans le délire et s'agressaient l'un l'autre sans se soucier des comparses qui, loin de les gêner, leur permettaient au contraire de se dire ce qu'ils auraient sans doute tu en tête-à-tête.

Françoise avait compris les règles de ce duel. Son sourire un peu résigné donnait à entendre qu'elle connaissait bien Valentin et qu'elle avait appris à ne pas le faire marcher au trot quand il était pris d'un galop irrépressible.

Jacques ne laissait rien paraître. Les deux combattants auraient pu s'entretuer devant lui qu'il n'aurait pas bronché.

Ils rirent d'un titre de magazine : « Mesdames, comment attraper un homme ? » Valentin conseilla à Claire de lire attentivement l'article. Elle lui répondit qu'elle savait très bien manier le lasso et qu'elle pouvait même donner des leçons de dressage. En le voyant la première fois, ajouta-t-elle, elle avait pensé qu'il devait avoir un grand-père centaure, il lui en restait la longueur des membres et du nez ; mais, à la réflexion, il s'apparentait encore plus à l'hippocampe.

– Et toi, qui es-tu ? demanda-t-il en plissant les yeux.

– Une anémone de mer, répondit Claire. Je me nourris de petits hippocampes.

Claire voulut faire le portrait de Valentin. Elle ne savait pas dessiner et, bien qu'elle eût la mémoire des visages et un sens aigu de l'observation, elle n'avait jamais fait que des gribouillis.

Ce soir, elle n'attendait pas un miracle, comme à l'accoutumée le résultat serait désastreux, mais un quart d'heure durant, Valentin serait sa proie : elle l'envisagerait, elle le dévisagerait. Peu lui importait que le crayon balbutiât, si elle voyageait dans ses cheveux, sur sa nuque, si elle caressait son regard et apprenait sa bouche.

Le portrait fut conforme à ses prévisions : lamentable. Valentin s'abstint de rire et voulut le conserver.

Le lendemain matin, Jacques découvrit sous l'essuie-glace de la voiture, un papier au verso duquel une fleur naïve était signée : l'hippocampe. Il le remit à Claire.

Elle trouva Valentin et Jacques en pleine discussion. Le nombre des mégots indiquait que l'entretien se poursuivait depuis un long moment. Ils la reçurent avec des airs de conspirateurs. Il y eut plusieurs : « On lui dit ? On lui dit ? » avant que Jacques se décidât à parler.

Valentin avait un ennui : la comédienne qui interprétait le rôle de Rachel était retenue en France par un contrat. La carrière turque du spectacle Gorki risquait d'être compromise.

Elle les voyait complices et elle ne parvenait pas à comprendre pourquoi cette contrariété de dernière heure suscitait leurs rires. Enfin Jacques lui confia que Valentin avait pensé à elle pour remplacer la comédienne et que tel avait été le sujet de leur entretien.

Elle les embrassa et l'un et l'autre ; et, s'asseyant entre eux sur le canapé, elle promit de travailler, d'écouter les conseils de Valentin et même de l'étonner. Valentin précisa qu'il ne s'agissait pas d'un amusement mais d'un labeur acharné. Elle réprima son rire comme un enfant de chœur pendant l'élévation et elle promit d'être sage.

Que n'aurait-elle juré ? C'était autre chose que de se mêler aux élèves pour jouer la comédie, c'était autre chose que le Conservatoire de province où pendant un an elle s'était détérioré les cordes vocales en proférant les imprécations de Camille, et même mieux que d'être Ismène avec la troupe du Théâtre Universitaire. Elle reniait toutes les joies passées pour la joie présente, la seule, l'éblouissante.

Elle accorda pourtant une attention apparente à Valentin, quand il lui révéla avoir lu et aimé le premier acte des « Remparts d'Aurélien ». Il était persuadé que Jacques avait « quelque chose à dire » et dans sa bouche ce « quelque chose à dire » était le compliment des compliments.

Claire était éperdue de bonheur et le bonheur faisait table rase de tout. Petite fille elle en oubliait son cartable dans l'autobus, adulte elle aurait dansé sur les braises avec le sourire d'une déesse khmer.

Elle ne dormit pas de la nuit.

Le lendemain, Claire se rendit chez Françoise et Valentin pour déchiffrer le texte de Gorki. Plus l'heure du rendez-vous approchait, plus elle se sentait intimidée. Pour la première fois, elle allait être seule avec Valentin. Son visage désordonné et sa violente laideur la surprenaient encore. Elle essayait en vain de se souvenir de ses traits, un détail imperceptible semblait lui échapper remettant en cause l'ensemble.

Elle s'arrêta dans un café du boulevard Raspail

et but coup sur coup deux martini-gin. Bousculée par l'alcool, assaillie par la musique pop, convoitée par de jeunes hommes blonds, Claire pensait à Rachel. Elle commençait à l'aimer. Rachel brûlait trop vite, et pas seulement pour des idées politiques ; elle était mère, elle était amante. Sa belle-mère ne disait-elle pas avec haine : « Elle a enlevé mon fils comme une tzigane vole un cheval ? » Rachel avait le balancement de hanches des gitanes ; elle aurait pu courir pieds nus, sa jupe à volants battant ses chevilles.

Rachel lui plaisait et Claire craignait d'aborder ce personnage un peu trop beau.

Elle gravit les cinq étages d'un étroit escalier qui sentait les poubelles. Il vint lui ouvrir et lui dit un bonjour presque distant. Le grand corps de Valentin semblait moins à l'aise. Était-ce l'exiguïté du studio encombré de disques et d'une chaîne stéréophonique dont la puissance narguait les dimensions de la pièce ?

Il lui fit écouter la musique de Prokofiev dont il s'était servi pour illustrer les images d'Octobre. La musique, toutes fenêtres ouvertes, envahit la cour, les maisons voisines, le quartier. Les cheveux en fouillis, les yeux à la dérive, Valentin disait qu'il avait toujours rêvé d'être chef d'orchestre.

Assise au bord du divan, un peu gauche, écrasée de musique et d'attente, Claire raconta qu'enfant elle voulait devenir danseuse de claquettes, mais que ses broncho-pneumonies doubles avaient effrayé sa mère qui avait brisé sa vocation en ne lui permettant pas de suivre les cours de danse où elle aurait été livrée à la transpiration et aux coups de froid.

Claire se leva avant que la musique eût cessé. Elle

déclara qu'elle avait le trac et qu'il était temps pour elle de se jeter à l'eau.

– Commençons, demanda-t-elle.

– Commençons, approuva Valentin.

Et elle fondit sur les mots comme un taureau. Elle attaqua à gorge déployée. Elle sentait ses joues en feu et ses aisselles en sueur. Elle n'entendait plus sa voix ; à peine écoutait-elle celle de Valentin, feutrée, profonde, qui lui donnait la réplique. Il l'interrompit au milieu d'une phrase et lui dit très calmement :

– Tu fonces tête baissée ; c'est ce qui m'a tout de suite plu en toi.

Elle, c'était son rire qu'elle avait aimé, mais elle ne le lui avoua pas. Ils lisaient sur la même brochure et leurs regards s'évitaient. Le danger était partout, en lui, en elle. La chambre se rétrécissait de minute en minute ; elle se crut menacée.

– Dans la vie, tu as raison. Le temps se gagne. Ici, c'est une faute. Rachel, tu ne la connais pas et tu dois l'apprendre lentement, de l'intérieur. Ensuite les mots sortiront tout seuls. Nous allons reprendre à voix basse, presque en murmurant.

Ils chuchotaient et peu à peu le texte se rythmait à leurs respirations. Parfois, l'esprit de Claire fuyait loin des phrases et des intentions de l'auteur ; alors, les mots devenaient flexibles, s'arrondissaient et le langage n'était plus un corps étranger mais, ductile, prenait les inflexions de Claire.

– Continue sur le souffle, comme un monologue intérieur. Ça va mieux, disait Valentin.

– Oui, disait Claire.

– Veux-tu que nous nous arrêtions un moment ?

– Non, il faut que j'y arrive.

– Nous y arriverons, rectifia-t-il.

– Nous y arriverons, répéta-t-elle.

Il lui fit encore recommencer la scène. Claire était au supplice. Elle craignait les premières répliques, le moment où il l'accueillait de ces mots : « Tu es courageuse et encore plus belle qu'avant. » Sa voix était retenue mais son regard fou pesait et la faisait rougir. Il la provoquait parce qu'il sentait sa confusion. Il aurait suffi qu'elle relevât la tête et qu'elle le cinglât de son rire pour que les rôles fussent échangés, et, qu'à son tour, la timidité l'investît.

Mais elle ne le fit pas ; elle doutait des réactions de Valentin. Et si la panique n'avait aucune prise sur lui ? Et si, loin de se dérober, il allait renchérir comme elle l'avait vu faire souvent ?

Le retour de Françoise lui fut une délivrance. Un peu plus tard, lorsque Jacques arriva, elle reprit tout à fait possession d'elle-même. Les murs ne se resserraient plus à l'étouffer ; la tempête était rejetée à l'extérieur. La porte verrouillée, elle allait s'endormir en écoutant la pluie.

Françoise lui proposa d'essayer le costume de Rachel qu'elle venait de faire nettoyer à son intention. Claire la rejoignit dans le petit réduit qui servait de débarras. Françoise l'aida à enfiler la robe grise seulement agrémentée de parements blancs. Elle épingla les pinces pour ajuster l'étoffe à la taille très fine et au ventre étroit de Claire ; puis, elle recula autant que le permettaient les dimensions de l'alcôve encombrée de valises et d'accessoires.

– C'est drôle, dit-elle en la regardant, tu ressembles plus à une amazone au Bois qu'à une révolutionnaire au combat.

Elle ramassa les cheveux de Claire en un gros chignon bas sur la nuque, et elle se montra ravie du résultat.

Valentin avoua que les costumes du spectacle lui avaient toujours plu sauf celui de Rachel qu'il regardait pour la première fois avec plaisir.

– Tu vois, dit Françoise inquiète et souriante.

Un soir d'orage où ils s'étaient donné rendez-vous à la terrasse du Dôme, Valentin arriva en retard. Ils virent à son regard que quelque chose venait de se produire. Ils respectèrent son silence. Ils reconnaissaient la qualité de leur amitié à ce qu'elle ne se nourrissait pas de ces phrases dites pour tuer le temps. Des légions d'anges pouvaient passer sans que la gêne s'installât.

La pluie tomba en avalanche, la chaleur se desserra ; et, Montparnasse gorgé d'eau eut un instant la senteur d'un jardin.

Valentin récompensa leur attente en leur confiant le motif de sa tristesse. Le sort s'acharnait sur son spectacle : la comédienne interprétant le rôle principal venait de tomber malade. Il était impossible de la remplacer en dix jours.

– Il faut rayer la Turquie, conclut-il.

– Non, dit Claire.

– Tu n'auras pas travaillé pour rien, nous avons une tournée en banlieue pour la rentrée.

– Oui, mais en attendant ?... Tu ne peux vraiment pas la remplacer ?

– La remplacer ?

– Oui.

– Si c'était possible, je l'aurais fait. Je ne peux pas prendre le risque de montrer un spectacle rapiécé.

Claire sentit qu'elle ne devait pas poursuivre ; ce serait faire injure à Valentin que de le soupçonner de n'être pas prêt à tout. Mais elle était trop neuve, elle ne s'était pas encore assez battu pour accepter qu'un projet, le plus beau des projets, s'écroulât. Elle refusait de baisser les bras et de se taire ; comme une enfant, elle croyait qu'une promesse est un acquit et qu'il suffit de dire : je veux, pour que l'univers se plie à sa détermination.

Valentin se taisait et il la regardait. Claire ne se résignerait pas. Elle disait non de tout son être ; et, peu à peu, elle sentit que, malgré ses affirmations, Valentin ne lâchait pas prise non plus. Alors, par ce curieux échange qu'ils avaient déjà surpris entre eux, ce fut Jacques qui dit les mots que Valentin et Claire retenaient :

– Pourquoi ne pas y aller quand même ? Nous serons spectateurs.

– Mais oui, approuva Françoise, vous devez y aller.

Claire et Valentin étaient d'accord mais ils firent ce qui était le plus éloigné d'eux-mêmes : ils cachèrent leur enthousiasme. Ce voyage, en un soir perdu puis retrouvé, leur procurait un bonheur inexprimable. Leurs éclats n'étaient plus de mise. Ils eurent peur de trahir leurs sentiments ; ils étaient quatre et Françoise et Jacques leur parurent vulnérables. De cette crainte de blesser, de cette soudaine pudeur, naquit leur complicité.

Claire et Jacques partirent trois jours en Normandie, dans leur famille. Comme d'habitude, quand les parents de Jacques entendirent la voiture freiner devant le petit pavillon fleuri d'hortensias, ils se précipitèrent sur le perron. Serrés l'un contre l'autre, déjà menacés de vieillesse, le sourire et l'affection aux lèvres, ils semblaient immobilisés dans le temps sur un de ces clichés jaunis où les femmes ont des yeux doux et résignés, et les hommes des airs bravaches un peu ridicules.

Dès le premier jour, Claire avait été leur fille et elle leur était devenue indispensable. Elle avait pour eux cette affection où la tendresse et le devoir se mêlent ; le moindre manque leur aurait été fatal.

Seuls les êtres faibles vous lient avec force, pensa Claire. Il fallait qu'elle soit toujours aux côtés de Jacques, ces deux petits vieux en silence le lui rappelaient ; sinon ils seraient poignardés devant leur maison de poupée. Elle pensa aussi qu'il pouvait exister des crimes parfaits et des armes plus efficaces que le revolver ou le poison.

Françoise et Valentin avaient planté leur tente

aux Andelys où ils avaient décidé de se retrouver tous les quatre pour le 14 juillet.

– La fête nationale t'excite, avait remarqué Françoise avant leur départ.

– Je me pocharde tous les 14 juillet, avait répondu Valentin de son grand rire provocant.

– Je préfère la nuit du 4 août, avait dit Jacques.

– Oui, mais tu es un intellectuel, Jacques ; il te faut des raisons pour aimer. Moi, je ne demande pas de preuves. Un feu d'artifice, l'arrivée du Tour de France, un guinche et du vin rouge, il ne m'en faut pas plus ! Ce sera un 14 juillet d'anthologie !

– Qui disait : j'ai horreur des réjouissances à dates fixes ? avait demandé Françoise en souriant avec indulgence.

– Je ne sais pas ce que je dis, Françoise, et je ne suis pas à une contradiction près.

Il leur suffisait d'être ensemble pour ignorer la banalité. Ils vécurent les Andelys comme une répétition générale avant le grand départ. Le spectacle Son et Lumière embrasant la forteresse de Richard Cœur de Lion, les trompettes de Château-Gaillard ne furent qu'un décor à leurs propres jeux.

L'été était tout de douceur ; mais, quand le soleil disparaissait, le ciel sans nuage faisait les nuits fraîches. Les prairies profitaient de l'obscurité pour exhaler une humidité un peu écœurante.

La Normandie jouait à faire la belle ; à se vouloir tempérée, à se nuancer du tiède à l'assez chaud, elle retenait son été et ne sombrait jamais dans la canicule. Pourtant les hauts faits des seigneurs de

Château-Gaillard laissaient entendre qu'il fut un temps où elle ne craignait pas les extrêmes ; les carnages et les crimes évoqués n'avaient pas le goût fade de cette terre sans contraste.

Claire et Françoise eurent froid et Jacques alla leur chercher un plaid dont elles s'enveloppèrent. Blotties l'une contre l'autre, l'herbe et la nuit leur devinrent confortables.

– Je suis bien, dit Claire en passant son bras autour des épaules de son amie. Je voudrais que tout le monde soit heureux.

– Mais tout le monde est heureux, répondit Françoise ; et elle prit la main de Claire et la garda dans la sienne.

Les collines s'éveillaient au son des haut-parleurs, et des voix parlaient des combats et des dames d'autrefois. Adultères, elles étaient et, à Château-Gaillard, elles en souffraient mille morts. Marguerite de Bourgogne y fut emmurée avant que son royal époux l'étranglât de ses propres mains ; Blanche y fut recluse avant que l'abbaye de Montbuisson la fît prisonnière à vie.

– En Suisse, il y a longtemps, dit Valentin, les femmes adultères étaient promenées par la ville avec une sorte de collier qui tenait à la fois du carcan et du pilori.

Quand les trompettes se turent, et que les ruines dépouillées de leurs artifices lumineux retournèrent à l'austérité, ils restèrent seuls en silence. La pleine lune blanchissait les créneaux tandis que le val qui les séparait de la forteresse se perdait dans l'obscurité. Puis d'un élan unanime, ils dégringolèrent la colline. Enroulé dans la couverture comme une momie, Valentin se laissa emporter au fil de la pente. Il tourna sur lui-même et s'engloutit dans l'ombre.

– Il a pris un coup de lune, commenta Jacques.

Ils le retrouvèrent le visage griffé, des brindilles dans les cheveux ; mais ils n'eurent pas à le panser. L'herbe normande protège contre la folie.

Le bal du 14 juillet fut à leur goût ou plutôt ils le firent tel. Il comportait tout ce qu'ils détestaient : les confetti, les langues de belle-mère, les fêtards patriotes et avinés, les couples de valseuses à la frisette laquée. L'orchestre insultait tour à tour le tango argentin, le New-Orleans, le slow, le jerk, Polnareff et les Beatles.

Françoise et Valentin, Claire et Jacques glissaient sagement sur des rythmes lents. Une musique poisseuse collait les êtres. Corps à corps moite, poitrine contre poitrine, sexe contre sexe ; des mains caressaient des nuques chaudes, des lèvres mordillaient le lobe d'une oreille, effleuraient un cou déjeté. Parfois un des partenaires se dérobait, repoussait l'étreinte ; il sentait contre sa peau la respiration impatiente de l'autre, et les chants contenus qui éclataient en sanglots à la fin de chaque phrase musicale, étaient autant d'agressions.

Quand la guitare devint électrique et que l'accordéon haleta, les couples se brisèrent et ce fut chacun pour soi. Françoise et Jacques devenus spectateurs ne perdirent pas de vue deux corps longilignes qui vibraient de plus en plus vite sans tenir compte des figures consacrées.

Claire et Valentin étaient séparés par une grosse brune qui, les yeux fermés, faisait tressauter en cadence son énorme poitrine, et un gandin impassible dont seul le fléchissement des genoux indiquait qu'il n'était pas sourd. Ils ne cherchaient pas à se rejoindre ; à travers les autres, à travers cet écran agité de soubresauts, ils se prenaient du regard et se déprenaient tour à tour. Leurs jambes, leurs bras devenaient fous d'attente et de liberté ; ils s'étiraient et se crispaient de désir. De loin, du regard, ils se parlaient en silence.

– Pourquoi n'as-tu pas dansé avec moi, Valentin ?

– Je pensais que tu ne voulais pas.

– J'ai attendu toute la soirée, Valentin. Pourquoi ?... Danser un 14 juillet, c'est permis.

– Ne cherche pas à savoir si c'est permis, laisse-toi aller, Claire.

– Je n'ai pas envie de me laisser aller.

– Tu dis : je n'ai pas envie, mais tu penses : je n'ose pas.

– Si, regarde Valentin, j'ose. Tu vois mes hanches, Valentin, regarde comme je les fais bouger. Tu vois mes seins, ils sont nus sous le tee-shirt, ils réclament de la tendresse à leur pointe, regarde comme ils en ont besoin. Il fait chaud, Valentin.

– Très chaud, Claire.

– Je ne me sens pas bien, Valentin.

– Claire, pas si vite. Respire.

– Je n'y arriverai jamais, Valentin.

– Tais-toi, Claire. Tu vas t'épuiser.

– J'étouffe, Valentin.

– J'arrive.

– Viens.

– Tu vois, je suis là.

– Je n'en peux plus.

– Détends-toi, Claire. Je vais t'emmener là-bas.

– Voilà, je suis calme.

– Laisse-toi aller.

– Je me laisse aller.

– Nage.

– Je nage. De l'autre côté, pourra-t-on se reposer ?

– Peut-être.

Quand la musique cessa, la grosse brune et son cavalier les séparaient toujours. Jacques tendit un mouchoir à Claire ; elle pensa à sa mère. Quelque vingt ans plus tôt, elle s'étonnait d'avoir une fille aussi peu « petite femme », et, lorsque Claire rentrait les genoux en sang et les joues en feu, sa mère restait sans réaction à répéter : « Dans quel état tu te mets ! »

Le lendemain, Claire et Jacques quittèrent leurs parents dès le matin pour rejoindre leurs amis. Ce fut une journée de soleil et de cidre ; les deux mâles se mesurèrent dans des joutes amicales. Tout y passa, du badmington à la contrepèterie, du ping-pong à la course en forêt. Les dames encourageaient chacune leur homme-lige. Claire voulut aussi combattre, mais le rire coupa ses moyens et elle avait peu de goût pour la compétition. A la course, peut-être aurait-elle eu ses chances ; bons princes, les hommes lui avaient accordé un sérieux avantage. A l'instant où elle allait les vaincre, Valentin le traître la rattrapa, agrippa son épaule, freina son élan et s'empara lâchement de la victoire.

Claire admit qu'il avait des jambes faites pour courir, mais qu'il était bien l'animal le plus vicieux qu'elle eût rencontré.

Ils reprirent souffle au sommet d'une colline qui surplombait la Seine. Le soleil se manifestait sans brûler ; ils se livrèrent à lui, les yeux fermés, le corps adossé à une petite chappelle.

Jacques, qui avait le goût des constats, éprouva le besoin d'arrêter le temps :

– Depuis quand nous connaissons-nous ?

– Depuis toujours, dit Françoise.

– Depuis toujours, répéta-t-il. Sans doute. Pourtant ça s'est fait si vite. Je crains parfois de ne pas pouvoir me souvenir de moments comme ceux-là. Il faudrait pouvoir tout noter.

– Moi, dit Claire, je préfère faire confiance à ma mémoire, elle sait choisir. Ce qui est oublié ne vaut pas la peine d'être retenu. Tu m'as dit souvent que tu avais une vision poétique du monde qui se foutait de l'exactitude.

– Jacques a raison, dit Valentin, l'exactitude n'est pas suffisante.

– Tu sais, Valentin, quand je dis qu'il faudrait pouvoir noter, ce n'est pas dans un souci de précision, mais je crains qu'un détail oublié ne modifie l'ensemble.

En levant les yeux, ils voyaient osciller la cime des arbres. A leurs pieds, des villages, des maisons jetées au hasard comme un jeu de cartes. Entre ces deux mondes, eux quatre isolés, promeneurs privilégiés sautant de colline en colline. Un gros nuage blanc passa devant le soleil et la rivière devint opaque avec un reflet métallique.

– Tout est irremplaçable, dit Valentin. Chaque être, chaque instant.

– Oui, tout, acquiesça Jacques.

Ils se turent. Silencieux, immobiles, ils semblaient ne pas vouloir déranger le temps. « J'aime les choses sans fin », dit Valentin beaucoup plus tard.

Après dîner, Claire proposa un dernier jeu : l'ascension de Château-Gaillard. Ils partiraient chacun séparément du village des Andelys et ils se donneraient rendez-vous dans les ruines de la citadelle. Les départs auraient lieu toutes les cinq minutes et le parcours serait chronométré.

Jacques et Valentin relevèrent le défi, Françoise préféra les attendre dans un café. Le tirage au sort désigna Jacques comme premier partant. Cinq minutes après lui, Valentin se jeta dans la nuit.

– Pourquoi ne viens-tu pas avec nous ? demanda Claire à Françoise quand elles furent seules.

– Je suis un peu fatiguée.

– Veux-tu que je reste avec toi ?

– Non, ils t'attendent.

Claire éprouvait comme une gêne. Françoise n'était plus tout à fait avec eux. Déjà, ils étaient partis ; lucidement, elle les regardait s'éloigner. Même la souffrance devenait douce chez elle.

Claire traversa la rue et prit le premier chemin à sa droite. Elle se retourna, Françoise avait disparu dans l'obscurité ; elle se sentit soulagée. Elle marcha vite, très vite. Elle trébuchait sur les cailloux sans y prendre garde. La nuit était plus inquiétante d'être lumineuse ; les ombres s'y dessinaient avec la netteté d'un décor en trompe-l'œil. Claire n'avait pas peur ; seul un aboiement lointain la fit frémir, ses cauchemars étaient peuplés de chiens. Elle retrouvait sa route sans difficulté ; elle avançait si rapidement qu'elle craignit de rattraper Valentin.

Elle cherchait au loin sa grande silhouette maigre. Elle crut l'apercevoir plusieurs fois.

Elle quitta le chemin et gravit la colline. La pente était si raide qu'elle saisissait les touffes d'herbes à pleine main pour se hisser. Les ruines étaient en vue ; elle se perdit dans les éboulis, trouva enfin l'escalier. Elle s'arrêta pour reprendre sa respiration, puis continua à avancer sans bruit.

Elle les vit. Du regard, ils la cherchaient dans la nuit.

– Elle s'est peut-être perdue, disait Jacques.

– Elle est partie depuis un quart d'heure à peine et tu es déjà inquiet !

– Je n'ai qu'elle, tu sais.

Claire écoutait et elle en voulait à Jacques de son indécence. Il osait la posséder devant Valentin. Elle connaissait trop ces serments, ces superlatifs, et cette humilité : sans toi, je ne suis rien. Non, Jacques ; je peux t'aider, mais ne me demande pas d'exister à ta place.

– Nous sommes à égalité, dit Valentin en la voyant apparaître les cheveux au vent, le col relevé jusqu'aux oreilles. Toi et moi, exactement le même temps, mais Jacques nous a devancés de deux minutes.

Claire accepta cette défaite honorable ; mais elle ne put s'empêcher de penser que personne n'avait contrôlé l'heure d'arrivée de Jacques. Elle ne s'était jamais résignée aux défauts de son mari, cependant il était trop proche pour qu'elle les vît avec netteté. Maintenant que leur couple était sorti de la solitude, elle les jugeait plus sévèrement. Il n'était plus Jacques tout entier ; elle commençait à faire le détail : il était devenu relatif.

Ils se penchèrent tous trois à une ouverture découpée dans le roc, et ils découvrirent à leurs pieds la Seine, le Petit-Andely et sa piscine bleue. En bas, c'était la doucereuse Normandie ; en haut, le vent inquiétait les ruines et faisait la nuit sonore. Les jeux d'ombre et de lumière creusaient les joues et les orbites, et enténébraient les mots.

– Un décor digne des « Remparts d'Aurélien », fit remarquer Valentin.

Alors, avec Jacques, il se mit à bâtir un spectacle de rêve. Assise un peu à l'écart, Claire suivait leurs gestes. Les praticables montaient à l'assaut de la nuit, les comédiens se détachaient comme des fantômes sur les murailles branlantes. Ma parole ! Valentin et Jacques l'avaient oubliée.

– J'ai froid, dit-elle, mais ils ne répondirent pas.

– J'ai froid, répéta-t-elle en martelant chaque syllabe.

Ils sursautèrent presque surpris de sa présence. Enfin ils vinrent à elle, et lui tendirent chacun leur blouson.

– Non ; après tout, en marchant je vais me réchauffer.

– Mais si, prends, dit Jacques.

– Prends, dit Valentin.

– N'insistez pas messieurs, dit-elle avec une dignité offensée à peine feinte.

Le lendemain, en fin d'après-midi, les parents de Jacques leur dirent au revoir à petits gestes, sur le petit perron. Une larme tremblait dans leur regard.

– C'est loin, la Turquie, répétaient-ils. Combien de temps, avez-vous dit ?

– Cinquante-huit heures, dit Jacques.

– Cinquante-huit heures de train ! Faut être fous ! Prenez des places dans le sens de la marche. Cinquante-huit heures de train, ça fait trois jours ?

– Non, trois nuits précisa Claire, mais seulement deux jours.

– Trois nuits !

La surprise et l'angoisse les faisaient se tasser encore un peu plus. Claire en oubliait de leur reprocher d'avoir fait un enfant qui n'osait pas devenir un homme. Elle sentait qu'il était facile de se laisser engluer dans cet amour inlassable. Au matin, les chaussures étaient cirées, le linge lavé et repassé, le petit déjeuner préparé, et l'on n'exigeait pas de remerciements ; il suffisait d'accepter. Un horrible mot : accepter.

Dans le rétroviseur, elle les vit s'amenuiser et disparaître définitivement.

A leur retour, ils apprirent que la terre tremblait en Anatolie. Les journaux profitaient de l'aubaine et comptaient les morts ; ils exhibaient en première page les photos de villages dévastés, de femmes en pleurs. La chaleur était suffocante, l'eau manquait ; mais le séisme n'avait pas touché l'Europe. Istanbul était sauvée. Pour le moment du moins, car les sismologues s'attendaient à une nouvelle cassure de l'écorce terrestre.

Ils lisaient, ils commentaient ; à aucun moment le voyage ne fut remis en cause. Bien au contraire, leur désir de partir se fortifiait des obstacles. Pour ce pays ravagé, ils n'éprouvaient pas une curiosité malsaine, mais il leur devenait chaque jour plus évident qu'ils avaient quelque chose à y vivre et qu'ils le vivraient coûte que coûte.

Jacques construisait avec ardeur des remparts à Aurélien, aussi Claire dut-elle se charger des formalités de départ et Valentin l'assista dans toutes les démarches.

Ensemble, ils ne se départaient pas de ce ton ironique qui mettait des rires entre eux, leur faisant éviter le pire. Ils avaient beau feuilleter les dépliants touristiques, Istanbul n'avait pas encore pris forme. Les mots : pont de Galata, Topkapi, mosquée du sultan Ahmet, étaient à la fois trop précieux et trop livrés à tout venant pour qu'ils y puisent la matière de leurs rêves. Les mots, il fallait d'abord les domestiquer ; ensuite, ils deviendraient leurs.

Ce qui existait déjà, c'était l'Orient-Express. La longueur de son parcours avait le goût des choses sans fin. Valentin répétait sans cesse l'air excédé :

– Cinquante-huit heures à te voir, à t'entendre, à te supporter. Mon Dieu, éloignez de moi ce calice !

Claire, pleine de componction, répondait :

– Les voies du Seigneur sont impénétrables, mon fils.

Un après-midi où ils étaient allés au centre d'information turc, une bride de la sandale de Claire craqua et elle descendit pieds-nus les Champs-Élysées. Valentin marchait à ses côtés, fier de sa princesse en haillons. L'asphalte brûlait et pourtant elle n'en évitait pas le contact. Elle posait la plante des pieds bien à plat pour sentir de la pointe au talon une chaleur à peine supportable comme un lien frémissant avec le sol.

Valentin était là, et elle ne pensait plus à ce qui les séparait. Ils marchaient. D'un même pas, long, rapide ; un pas qui fendait la chaleur. Le Paris étouffant du mois de juillet venait à eux par petites bouffées cotonneuses, et ils le respiraient à pleins poumons. Ils étaient les derniers à ne pas sombrer asphyxiés.

Les gens les regardaient, se retournaient. Lui,

dégingandé, gauche et agressif ; elle, mince dans sa robe qui s'accrochait à ses cuisses à chaque enjambée, les pieds nus pris d'un rythme militaire, le menton têtu pointé en avant, le grand cou embroussaillé de mèches brunes.

Il l'emmena chez lui pour réparer sa chaussure. De nouveau, ils sentirent les murs se refermer sur eux dangereusement, et la chambre se faire piège. La chaleur qu'ils avaient méprisée parmi la foule leur devint accablante. Mais cette fois, Valentin ne chercha pas à provoquer Claire. Il n'avait plus à se servir de mots pour la surprendre. Il savait. Le voyage promis gommait leur impatience. Ils attendraient.

Ils furent sages presque malgré eux.

# 2

Le jour était arrivé, ou plutôt la nuit, car c'était sept minutes avant minuit que l'Orient-Express quittait la gare de Lyon.

C'est très petit un compartiment de seconde classe quand toutes les places sont louées pour cinquante-huit heures. Claire étudia le lieu. Tout était comme elle l'avait prévu. Elle occupait l'angle côté couloir dans le sens de la marche, Jacques était assis auprès d'elle et Valentin en face, dans l'autre angle. Au-dessus de Valentin, il y avait une photo du port de La Rochelle, et l'image de cette ville qu'elle aimait depuis son enfance lui fut un heureux présage. Évidemment, si Valentin avait été à côté d'elle, les choses auraient été facilitées ; mais cette place revenait de droit à Jacques, et Claire l'entendait bien ainsi.

Les comparses étaient tels qu'elle les avait souhaités : un peu gris, ils occupaient l'espace – hélas ! – mais leur présence n'était que physique. Deux femmes sans âge, un homme maigre au teint jaune et à la mine sinistre. Le seul à paraître envahissant était le voisin de Valentin : un petit homme boudiné dont les cuisses pesaient sur la banquette comme des sacs de son et dont la moustache semblait dessinée à l'encre de Chine. Encombré de colis de toutes tailles, de cartons à chaussures, de paniers, il leur dit qu'il était turc et qu'il allait passer les vacances chez lui. Ils le remercièrent de cette précision qui était leur première touche de couleur locale.

Le train s'ébranla à l'heure prévue. Ils se regardèrent et ils eurent comme un soupir de soulagement. A l'avoir trop envisagé, ce départ devenait un peu irréel.

Françoise les avait accompagnés en voiture jusqu'à la gare. On s'était embrassé avec une émotion contenue, et les plaisanteries sonnaient faux comme le soir de la Première au moment d'entrer en scène.

– N'oubliez pas de revenir, avait-elle dit avec ce sourire qui était son seul maquillage.

Ils avaient promis ; et, quand Claire avait posé ses lèvres sur la joue pâle de Françoise, « Je suis un Judas » avait-elle pensé, sans que cette constatation l'alarmât.

Ce soir, il n'y avait plus pour Claire ni culpabilité, ni hésitation. Plus rien que ce désir, que cette volonté forcenée, nourrie d'attente et de scrupules. C'était à elle d'agir et elle le ferait. Elle le ferait avant Montereau. Comment avait-elle pu tant différer ce geste ?

Claire était capable de changer de conduite aussi rapidement que de robe pour peu qu'elle l'eût décidé ; et personne ne pouvait la pousser à cette initiative, et encore moins la retenir. Après chacune de ces métamorphoses, brusques et toujours irréversibles, elle se demandait comment elle avait vécu auparavant, et elle jugeait avec ironie la Claire d'autrefois : « Dieu, que j'étais ridicule coiffée ainsi ! »

Valentin est face à elle, Valentin le but que sa volonté s'est assignée. Elle ne s'interroge pas, elle n'invoque pas l'amour, la passion. Elle n'a pas besoin d'excuses. « J'ai tué, monsieur le Juge, mais je ne m'appartenais plus. » Claire ne s'est jamais sentie aussi maîtresse d'elle-même.

Avant Montereau. Jacques et Valentin lisent ; Jacques le théâtre de Valle Inclan, Valentin un roman policier dont la couverture exhibe une superbe blonde tous charmes offerts. Ils lisent et ils ne savent pas ce qui va leur arriver. Avant Montereau. Qu'ils sont ridicules, plongés dans leurs livres. On part, on est parti, ils en ont rêvé tout un mois et ils lisent. Avant Montereau. Le temps presse.

– J'ai sommeil, murmure Claire.

Valentin demande aux comparses s'il peut éteindre. Il éteint. Il fait aussi noir que l'espérait Claire. Cependant elle prend soin d'ajuster avec minutie le rideau pour oblitérer la fenêtre du couloir.

Valentin allonge ses interminables jambes et les pose tout près de Claire. La tête de Jacques vient se blottir sur l'épaule de sa femme. Elle l'accueille sans réticence ; puis, quand elle perçoit la régularité de sa respiration, elle se dégage furtivement. La tête de Jacques quitte Claire et s'infléchit de l'autre côté.

Il fait chaud. Claire aime la chaleur. Elle s'y sent à l'aise. Du reste, peu importe la chaleur ; banquise ou forêt vierge, tout lui conviendrait cette nuit. Ses yeux s'accoutument à l'obscurité ; les formes se dessinent mais restent assez floues pour ne pas être dangereuses.

La cheville de Valentin est à quelques centimètres de sa cuisse. Avant Montereau. Sa cheville et son pied, très long, très mince, un de ces pieds de moine en sandales plus nus d'apparaître sous la robe de bure. Un pied, une cheville et puis rien. Après, il doit y avoir un corps, et même un visage au regard fou. Ses yeux sont-ils ouverts dans la nuit ? Ouverts sur elle que l'obscurité dissimule ? Je ne l'ai vu fermer les yeux qu'une seule fois, parce qu'il y avait le soleil, parce que nous étions bien. D'une cheville sans corps, on peut tout faire. Elle est là, tout près. Avant Montereau.

Et la main de Claire vient se poser sur la cheville de Valentin, calmement, d'un geste assuré qui indique qu'il ne s'agit pas d'un mouvement ensommeillé. La cheville est fine, nerveuse ; elle a un léger soubresaut, elle se laisse faire, elle attend.

La main, qui ne se sent pas repoussée, se referme brusquement comme l'anémone de mer sur l'hippocampe de la légende. Et la cheville est docile et la main agressive. Et la cheville commence à s'émouvoir, à ronronner sous la main qui la flatte. La main remonte et la jambe interminable s'allonge, se tend. Il y a des muscles ; ils sont durs et ils sont doux. Il y a de la chaleur entre la main qui insiste et la jambe qui va au-devant d'elle. Et puis, il y a toute une musique accordée au rythme du train, avec des pointes vives quand la main devient violente et que la jambe se crispe mais réclame la douleur.

Le train arrive à Montereau. Quelques lumières pénètrent dans le compartiment. La main serre très fort la jambe pour lui dire de l'attendre, et, prudente, se retire comme à regret.

Les voyageurs reposent en paix. Jacques essaie de déchiffrer l'heure à sa montre. De nouveau, la nuit. Jacques doit dormir puisqu'il ne bouge plus. Elle n'a jamais bien su ce qu'il pensait ; il y a toujours eu une frange incertaine autour de lui, des ondes trompeuses à la surface du réel. Il respire, le compartiment respire, et le train entier respire et vibre dans la nuit du même halètement inconscient.

Seule la main de Claire vit, seule la cheville de Valentin vit. Et elles se retrouvent, et elles ne s'étonnent plus d'être l'une contre l'autre ; elles deviennent intelligentes. Et la main gagne du terrain, et la jambe ne se satisfait plus d'être prise ; elle veut aller plus loin. La jambe sent la courbe d'une cuisse, elle atteint la chair, elle trouve la chaleur.

Valentin, lui aussi, ajuste avec précision le rideau pour vaincre la lumière du couloir. Le Turc ronfle et vient s'écraser contre Valentin qui repousse l'envahisseur. Mais la victoire n'est qu'épisodique, et Valentin reste vigilant.

A tâtons, à la dérobée, à la folie, ils apprennent à se connaître. Par bribes, par petits morceaux de tendresse. A un certain moment, Valentin s'est penché en avant, et Claire a reculé craignant une imprudence. Son visage était si proche qu'elle le voyait distinctement ; Jacques aurait pu les surprendre. Alors Valentin a saisi le poignet de Claire brutalement, et, s'adossant de nouveau à la banquette, il l'a attirée à lui. Elle se laisse faire ; elle craint le regard de Jacques et elle l'ignore. C'est elle, c'est Jacques qu'elle défie. Valentin la force à lui livrer son poignet et son bras qu'il ne peut parcourir que jusqu'au coude. Il redescend vers sa main qui s'est refermée, un à un, il déplie les doigts ; et, dans la paume tiède, il plonge son visage, il ancre ses lèvres.

Et le corps de Claire est heureux, et le corps de Claire n'en peut plus. Elle parle à Valentin. Elle crie vers Valentin. Elle imagine. Elle sent mais elle rêve encore davantage. Sa pensée prolonge chaque contact, chaque frôlement ; et, dans son esprit, leurs gestes furtifs sont d'une indécence démoniaque, idéale.

Toute la nuit, ils ont tendu les bras l'un vers l'autre. La chaleur, l'obscurité, la respiration du compartiment les isolent, leur fait un décor invisible et humain. Ils s'inquiètent de Jacques et ils l'oublient. L'angoisse d'être surpris excite leurs étreintes.

Claire et Valentin, condamnés au silence, se parlent du bout des doigts. Ce qui leur manque ce ne sont pas les mots, ce n'est pas l'agitation des lèvres, mais que leurs bouches ne puissent se rencontrer, se mordre, que leurs visages restent étrangers à leurs caresses. Ils sont deux nageurs dans une mer tiède, la tête dressée hors de l'eau.

Ils ne s'endormirent que lorsque le jour s'installa progressivement entre eux. Leurs membres se dénouèrent repus de fatigue, et l'un et l'autre sombrèrent dans le sommeil. Le réveil des voyageurs les avait séparés.

A Vallorbe, vers six heures du matin, le premier

contrôle douanier redonna vie aux dormeurs. Les yeux hagards, on cherchait les passeports, on se levait, on circulait. Tout était normal ; rien ne s'était passé. On parlait, on plaisantait, on partait en vacances ; les courbatures et le manque de confort comptaient peu.

– Tu n'es pas fatiguée, au moins ? demanda Jacques, le regard un peu flou.

– Non, dit Claire. Pourquoi ?

– Toute cette nuit... Avant de parler, il avait toujours un moment d'hésitation ; et Claire suivait le trajet de la pensée au mot en essayant de repérer l'endroit où il y avait un coude, où se produisait la bifurcation.

– Ce n'est que la première nuit, fit remarquer Claire d'une voix assurée.

– A Istanbul, tu pourras te reposer.

– Bien sûr.

La Suisse était verte comme sur les cartes postales. Ils la regardaient défiler. Le train gardait la chaleur de la nuit et de la promiscuité. Il était un peu plus de neuf heures quand il pénétra en Italie et parcourut la région des lacs.

Claire aimait ces eaux dormantes assombries de forêts, et les cyprès narguant le ciel. Avec Jacques, elle évoqua l'été qu'ils avaient passé au bord du lac de Côme. Ils logeaient dans un hôtel tenu par un prince pédéraste et déchu. Les habitations mordaient sur les eaux et la colline les protégeait de la route. On se servait d'une sorte de tapis roulant pour descendre les bagages.

Ils avaient beaucoup bu le premier soir et Claire avait voulu prendre un bain de minuit. Jacques l'avait accompagnée mais, malgré l'insistance de sa femme, il avait refusé de se jeter à l'eau. Il l'avait attendue sur la berge avec une grande serviette. Claire n'avait jamais pu obtenir qu'il se baignât ; il prétendait que l'eau lui était nocive depuis une jaunisse contractée pendant la guerre d'Algérie. Cette jaunisse était la cause de bien des maux. Claire savait que cette maladie avait été réelle, mais elle soupçonnait Jacques de lui attribuer une importance exagérée.

Ils furent à Milan peu avant midi. Le train resta une heure en gare. Ils en profitèrent pour avaler un plat de spaghetti et boire abondamment.

Claire et Valentin se retrouvaient dans l'avidité ; ils dévoraient comme des ribauds le soir de la Saint-Jean. Au savoir-vivre, ils préféraient la passion de vivre. Leurs regards étaient voraces et ils s'étouffaient de rires et de victuailles.

– Tu ris comme une carte météorologique, lui dit Valentin.

– Explique ? demanda-t-elle.

– Regarde-toi dans la glace.

Elle vit son visage strié de joie. Des courbes concentriques des ailes du nez jusqu'aux tempes lui dessinaient un rire éclatant, et la nuit d'insomnie n'avait pas assombri ses yeux. Quelques mois auparavant Jacques lui avait fait remarquer qu'elle ne devait pas rire si fort dans la salle des professeurs.

Ils reprirent place dans le compartiment. Au fil des heures, la chaleur gagnait du terrain ; les papiers, les détritus s'amoncelaient sous les banquettes et dans les couloirs.

A Vérone, ils franchirent l'Adige. Claire dit qu'elle avait beaucoup aimé cette ville et que, le soir, les femmes étaient belles quand elles se montraient aux terrasses des cafés.

Penchés à la fenêtre, ils regardaient les villes et les villages. Les corps de Valentin et de Claire tout naturellement s'appuyaient l'un contre l'autre, et des pieds jusqu'aux épaules c'était une grande caresse immobile.

A Venise, ils eurent le temps de sortir de la gare et le soleil de quatre heures de l'après-midi, le Grand Canal et ses Palais leur sautèrent au visage. Ils s'assirent les jambes pendantes au-dessus de l'eau, béats d'admiration. Les clichés, les films, les chansons, tous les mélos du monde n'avaient pas réussi à entamer la cité inusable.

– Au retour, nous nous y arrêterons trois jours, décida Claire.

– Oui, approuva Jacques.

– Oui, approuva Valentin.

Claire leur raconta qu'elle avait découvert Venise à l'âge de quatorze ans, au cours d'un voyage avec ses parents. Son père l'avait photographiée sur la place Saint-Marc. Elle avait une jupe rose à gros plis qui lui battait les chevilles, un minuscule chignon planté au sommet de la tête, et un petit panier blanc avec des champignons rouges semblables à s'y méprendre à ceux qui poussaient dans la forêt de Blanche Neige, livre dans lequel elle avait appris à lire.

– Tu en fais des tonnes ! commenta Valentin.

– Pourquoi ? Tu ne crois pas que j'ai eu quatorze ans ?

– Je demande à voir.

– Claire sait très bien se servir de son enfance, dit Jacques. Un jour, elle te racontera sûrement qu'elle était une petite fille souvent malade et un peu grave. Elle pense que, par rapport à sa santé actuelle, l'effet est saisissant.

Quand ils arrivèrent en Yougoslavie, ils comprirent que le wagon-restaurant les avait quittés depuis Milan et qu'il faudrait s'abstenir de dîner. Ils firent contre estomacs exigeants bon cœur, et entrèrent dans la nuit.

Valentin et Claire étaient des amants émerveillés, déjà liés par la complicité de leurs jeux. Valentin n'attendit pas que la main de Claire le sollicitât ; l'obscurité faite, il déclencha l'offensive.

Sans se consulter, ils échangèrent les rôles de la nuit précédente ; et ce fut sa main à lui qui remonta le cours de sa jambe à elle. Claire se pencha, fit prisonnière la main vivante et en dévora la paume.

En rase campagne, il y eut un long arrêt ; une heure, peut-être davantage. Les gens se levaient, allaient et venaient dans le couloir, s'interrogeaient sur les motifs de l'attente. Seul Jacques restait immobile et silencieux. Puis le train repartit lentement ; Claire et Valentin eurent à peine le temps de se chercher, que le train réduisait sa vitesse et allait mourir en gare de Ljubljana.

Des voyageurs montaient, ouvraient d'un geste brusque la porte en interrogeant l'obscurité d'un regard circulaire. Ils refermaient et s'entassaient dans le couloir. Alors il fallait de nouveau vérifier la porte et tirer bien proprement les rideaux.

Entre Ljubljana et Zagreb, Jacques se pencha vers Claire qui dut abandonner brusquement Valentin. Il lui caressa les cheveux ; puis, saisissant les jambes de sa femme, la contraignit à les allonger sur les siennes. Il ne prononça pas un seul mot. Claire accepta sans comprendre. Elle ne lui avait jamais connu ces gestes possessifs. Mais quand Jacques s'endormit à nouveau, elle glissa de lui très lentement et vint se blottir dans l'angle opposé, là où les jambes de Valentin l'attendaient. Elle aurait hurlé de faim et de soif.

L'arrêt fut encore interminable à Zagreb. Peu après, sans que rien le laissât prévoir, Jacques se leva et referma la porte derrière lui. Il fuma une cigarette dans le couloir, debout devant le compartiment. Valentin et Claire n'échangèrent aucune parole pendant son absence ; il n'y eut plus de caresses, même pas le contact de leur peau, quelque part, n'importe où, l'une contre l'autre. Quand Jacques revint, ils semblaient dormir chacun pour soi.

En fait, ils veillèrent jusqu'au matin ; ils ne se quittèrent qu'avec l'arrivée du jour dans la vallée de la Save. Ils n'en pouvaient plus de fatigue et de soif. Du haut d'un pont, ils aperçurent Belgrade. Ils la trouvèrent austère et laide. Ils devinaient des avenues rectilignes et des cubes de béton, ce n'était pas cela qu'ils cherchaient. Une ou deux vieilles maisons orientales pourtant...

Quand le train entra en gare, ils se précipitèrent à une fontaine où ils durent faire la queue pour boire, au creux de leurs mains, une eau fraîche d'avoir été tant espérée.

Pendant la nuit, l'aspect du train s'était modifié. De nouveaux voyageurs s'entassaient dans les couloirs et les soufflets : femmes en longues jupes et tabliers noirs, hommes dont le hâle n'évoquait pas les vacances mais le travail. Peaux épaisses tranchées net par les rides ; regards souvent clairs au milieu de la grisaille du vêtement.

Les privilégiés avaient réussi à s'asseoir dans un recoin, entre leurs paniers et leurs valises bossuées. Leurs paroles étaient énigmatiques. Le train, au fur et à mesure des kilomètres, devenait incompréhensible. La chaleur faisait les corps pesants, les mains poisseuses. Les bras et les jambes collaient aux banquettes et on respirait avec difficulté dans ce remugle de cigarettes. Il ne s'agissait plus de l'Orient-Express luxueux de l'entre-deux guerres, mais plutôt d'un convoi plein à ras bord de tous les exilés de la péninsule balkanique.

Jacques, Claire et Valentin étaient affamés et chaque gare apportait une nouvelle déception. Les quais demeuraient déserts. Ils avaient beau guetter le vendeur et sa petite voiture chargée de fruits et de sandwiches, rien. Alors, ils essayaient d'oublier la faim, la soif, et la saleté qui progressait inexorablement et qui, avant l'arrivée, ferait du wagon un champ d'épandage.

Les autres voyageurs avaient été plus prévoyants. Les deux femmes sans âge – en fait mère et fille – s'empiffraient de charcuteries qui ajoutaient une odeur de graisse et d'ail à la puanteur ambiante. L'homme au teint jaune, bien raide sur son séant que les nuits ne semblaient pas avoir endolori, croquait des biscuits qui se brisaient entre ses dents avec le bruit sec d'un bec d'oiseau se refermant sur un insecte. Seul le voisin turc, aux moustaches de moins en moins fringantes, comprit leurs regards concupiscents et leur offrit quelques abricots qu'ils acceptèrent sans vergogne.

On avait quitté les plaines de maïs et de chanvre. La voie s'enfonçait entre les montagnes par un étroit défilé. Le train peinait. Puis au sortir d'un tunnel, il déboucha dans une vallée. Un étudiant yougoslave leur apprit que c'était celle de la Morava.

– La Morava, un joli nom, dit Claire qui était perméable aux émotions esthétiques même quand son corps criait famine.

L'étudiant leur rappela que les Moraves avaient fait partie, au XVe et au XVIe siècle, d'une secte religieuse qui perpétuait les doctrines de Jean Hus. Le jeune homme était macédonien, et, pour se rendre à Skopje, il allait devoir les quitter à la prochaine gare et changer de train. Il avait un beau sourire quand il leur fit regretter de ne pas aller plus au sud.

– A Skopje, au-dessus des toitures de tuile, vous auriez aperçu les minarets. Ce sont les premiers signes du monde oriental.

L'étudiant ajouta que la capitale de la Macédoine possédait même un bazar. Et il les laissa à leurs rêves de dépaysement et à leur faim.

Juste avant la frontière bulgare, le train s'arrêta dans la campagne. On apercevait au loin un village aux maisons blanches tassées au creux d'une colline et un chemin de terre battue. Deux jeunes femmes pieds nus, une chaîne dorée à la cheville, marchaient le long de la voie. Elles proposaient aux voyageurs des tomates et des œufs. Il y eut des signes faits avec les doigts, tout un marchandage. Ils comprirent avec soulagement qu'elles acceptaient la monnaie française. Elles eurent un sourire à pleines dents pour leur tendre leurs présents ;

puis elles s'éloignèrent en balançant leurs jupes effrangées.

Les tomates étaient chaudes et liquides ; ils les burent comme des grenades éclatées dans la soif du désert. Quand ils en arrivèrent aux œufs qu'ils espéraient cuits durs, l'odeur fut telle qu'ils les jetèrent par la fenêtre et aérèrent le compartiment. Ils eurent le cœur d'en rire. N'étaient-ils pas des ascètes roulant vers l'Istanbul promise ? A Sofia, il y eut l'eau d'une fontaine. Le corps douloureux, ils abordèrent la troisième nuit.

Claire et Valentin oubliaient tout quand les lumières déclinaient. Les privations les jetaient l'un vers l'autre avec sans cesse plus de violence. Ils réclamaient davantage ; ils arrivaient maintenant trop vite au bout de leurs gestes. La respiration unanime du compartiment les emprisonnait. Le bruit inlassable du train, son mouvement régulier, les portaient au-devant de leurs désirs. Leurs lèvres mordaient le vide et leurs mains se crispaient dans l'obscurité.

Claire qui avait longtemps cru que le plaisir était une invention romanesque, un rêve d'hommes, le sentait soudain tout proche, là, au bout de ses doigts. Elle allait le découvrir et rien ne pourrait l'en empêcher. Elle avait nié jusqu'à son existence et pourtant elle l'attendait. Elle l'attend, elle se l'avoue, elle en est sûre. Bientôt il viendra et elle pourra dire : que de temps perdu ! Elle est impatiente ; il en faut des kilomètres, des villes, des villages, des arrêts, des douaniers. Mais elle approche, elle le sent. Vite, vite, Valentin, vite.

Le train entre en gare. Un va-et-vient dans le couloir. Jacques se lève, descend. Ils le voient marcher sur le quai. Ils se taisent. Ils se demandent si ce qui leur arrive est heureux ou malheureux. Jacques a son regard flou des mauvais jours ; il parle moins souvent. Peut-être n'est-ce qu'une impression.

Le train démarre lentement. Jacques n'est toujours pas là. Ils se lèvent ; personne dans le couloir.

– Crois-tu qu'il a vu ? demande Valentin pour la première fois.

– Je ne pense pas, dit Claire. Puis elle ajoute :

– J'ai peur.

– Je vais aller voir dans les autres wagons.

– Non, ne bouge pas. S'il a repris le train, il va arriver d'un moment à l'autre. Il ne comprendrait pas que nous soyons si inquiets.

– Tu penses qu'il a pu ne pas le reprendre ?

– Non. Mais, j'ai peur.

Ils restèrent près d'une heure en silence avant que Jacques apparût au bout du couloir.

– Où étais-tu ? ne put s'empêcher de demander Claire.

– Là, dit-il avec un geste vague. J'avais besoin de marcher. Vous n'êtes pas ankylosés, vous ?

Et il regagna sa place. Valentin et Claire le suivirent. Ils n'osèrent pas se retrouver. Ils restèrent avec leur faim, leur fatigue, à courir après un sommeil qu'ils auraient repoussé s'il était venu avant le jour. Dormir leur eût paru une trahison. Ils se fixaient sans se voir, présents l'un à l'autre en dehors des mots et des gestes.

L'obscurité était trouée de personnages en uniformes : policiers, douaniers bulgares, grecs, turcs. Aux premières lueurs, ils atteignirent la Turquie. La nuit n'avait apporté aucune fraîcheur et on s'enlisait dans la transpiration.

La première gare turque leur fut fatale. Edirne, elle se nommait ; des haut-parleurs y annonçaient en six langues différentes que le train n'allait pas plus loin et qu'un service d'autocars permettrait aux voyageurs de gagner Istanbul.

Ce fut alors le sauve-qui-peut. Voyageurs et bagages jaillissaient du train. Il en sortait par toutes les issues, portes ou fenêtres. On s'agitait sur le quai ; des bras se tendaient pour saisir les valises ; on criait ; on parlait ; on ne se comprenait pas.

Seuls les Français demeuraient insensibles à la voix des haut-parleurs et se mutinaient. Ils avaient loué leur place jusqu'à Istanbul, ils maintiendraient leurs positions jusqu'au bout. Des rumeurs alarmantes se propageaient le long des couloirs. Chacun pensait au tremblement de terre. Istanbul était-elle secouée, sinistrée, ravagée ? N'était-ce pas pour éviter la panique qu'on taisait les motifs de cet arrêt inopiné ?

Quelque chose était arrivé, quelque chose de fatal. A la fatalité, même les Français durent se soumettre. Les mutins furent les derniers à abandonner le bastion. Le train s'entêtait à ne pas vouloir poursuivre.

Quand ils descendirent, le gros Turc qui était allé aux nouvelles, leur apprit qu'il y avait eu un sabotage : quelques kilomètres plus loin, un pont avait sauté ; à une heure près, ils sautaient avec lui.

– Les Grecs, sans doute, ajouta-t-il.

Après trois nuits d'inconfort, il avait le visage boursouflé et la moustache décadente. Mais il leur tendait des oranges avec un bon sourire. De la manière dont Valentin le remerciait, il était clair qu'il regrettait de l'avoir repoussé avec violence quand, en ronflant, il venait s'écraser contre lui. Les oranges étaient sanguines, juteuses ; il fallait avoir fait toute cette route pour aimer à ce point les oranges. Edirne la catastrophe devint Edirne l'oasis.

Le quai était bigarré de toutes les races et de toutes les langues. Un vertige au petit matin. Les haut-parleurs continuaient à harceler la foule. Après avoir rejeté les voyageurs sur une terre que l'on craignait de dire ferme, ils les enjoignaient de se présenter au guichet pour une vérification d'identités.

Ils avaient terminé leur frugal repas, et ils attendaient un peu à l'écart. Valentin prit les trois passeports et se fondit dans la marée humaine. Jacques et Claire piétinèrent au milieu des valises, les mains poisseuses, les traits tirés. Jacques allumait cigarette sur cigarette. Valentin ne revenait pas. Claire proposa d'aller aux nouvelles.

Elle se faufila entre les femmes en noir et les hommes impatients. Elle apercevait au loin la chemise rouge de Valentin. Elle allait vers lui à coups de coude et de « pardon ». Elle essayait de rompre la barrière de chair ; elle repoussait des deux mains les corps agglutinés. C'était la débâcle, c'était une manifestation, et elle ne prononçait pour tout slogan que « pardon, pardon ». Les gens ne la comprenaient pas. Comment auraient-ils compris qu'elle l'avait perdu et qu'elle le retrouverait, dût-elle se faire conspuer, dût-elle piétiner leur fatigue et ramper sur ce tapis humain ?

Enfin la chemise rouge fut à portée de main. Valentin se retourna comme s'il l'eût sentie, là, juste derrière lui. Alors, pour la première fois, leurs bras ne se refermèrent pas sur le vide et leurs bouches se connurent. Longtemps, en dehors du temps, leurs lèvres eurent le goût des oranges et de l'insomnie.

Quand elle eut de nouveau conscience des autres, elle ne vit pas leurs visages étonnés, désapprobateurs ; elle ne vit que Jacques. Il était à deux mètres d'elle, le regard exorbité. Frappé de stupeur, il la fixait. Les maisons s'affaissaient, les pans de murs croulaient : il y avait des cris, de la chaleur, de la poussière, et tout s'engloutissait. Prostré, il voyait ; il n'avait pas un geste, ni de refus, ni de résignation. Les choses, les êtres existaient en dehors de lui. Il voyait la vérité ; elle était douloureuse et ses yeux s'ouvraient à elle ; des yeux lucides, des yeux de naufragé. Plus rien de flou. Il avait accommodé son regard sur elle. Elle était nette.

Le rêve de Claire se brisa dans les sanglots. Elle pleurait comme elle riait, de tout son être, sans pudeur. Elle refaisait en sens inverse le chemin qui l'avait portée vers Valentin. Elle n'avait plus à lutter ; la foule surprise s'ouvrait devant elle. Jacques lui dit : « Mouche-toi » et ils marchèrent en silence le long du train. Elle ne trouvait rien à dire. Parler de la fatigue, de la nervosité, ce serait absurde. Elle ne pouvait nier ce qu'elle avait fait, même pas le regretter. Elle se reprochait seulement la douleur de Jacques. Depuis quand souffrait-il ? Avait-il eu des soupçons auparavant ? Était-ce l'horreur de la découverte qui lui avait fait ce regard ?

Il y avait des géraniums rouges à une des fenêtres de la gare ; des gamins en galoches couraient sur le ballast. Elle s'étonnait de pouvoir encore distinguer, à travers ses pleurs, des fleurs et des enfants.

– Je suis morte, dit-elle.

– Tout ça, c'est fini ; tu vas te reposer, répondit-il calmement.

– Oui, tu as raison, approuva-t-elle dans un sourire.

Valentin revint avec les passeports. Lui aussi semblait un peu perdu. La détermination de Claire, puis ses larmes, et surtout ce silence entre eux depuis trois jours, depuis trois nuits. Où sommes-nous ? Il avait cru les mots inutiles ; il les sentait nécessaires.

– Il y a un autobus qui démarre dans un quart d'heure, allons-y, leur dit-il.

– On est loin d'Istanbul ? demanda Claire pitoyable.

– A un peu moins de trois cents kilomètres.

– Trois cents kilomètres, reprit-elle, c'est affreux !

– Mais non, dit Jacques. Rien n'est affreux.

Ils s'installèrent sur la banquette arrière d'un car qui accusait plus de trente ans d'âge. La route ne ménageait pas les amortisseurs qui agonisaient à chaque virage.

Un Turc extirpa de ses nombreux colis un gros fromage à la croûte noire ; il en coupa des tranches qu'il leur tendit. Ils acceptèrent à contrecœur ; ils n'avaient même plus faim. Indifférents aux minarets, aux remparts romains, ils sombraient dans de brefs sommeils dont ils se réveillaient en sursaut. Et Claire craignait que sa tête trop lourde ne vint se poser sur l'épaule de l'un, sur l'épaule de l'autre.

Ils longèrent la mer de Marmara. Ils devinaient des plages et des plaines brûlées.

Après plus de six heures de route, ils franchirent la muraille terrestre de l'ancienne Constantinople. Ils aperçurent des coupoles, des piliers, des portiques et des avenues folles de chaleur et de poussière.

Surmenée, surchargée, la ville était là. D'un ultime effort, ils chassèrent la fatigue et se voulurent présents à l'instant de la découvrir. Elle leur parut inextricable et ils se promirent de la démêler. Il leur faudrait des noms, des points de repères ; il leur faudrait y vivre.

Le car s'immobilisa dans la cour de la gare. Parqués en plein soleil, cernés de policiers et de militaires armés, les voyageurs eurent à se soumettre à une nouvelle vérification des passeports. Après une heure d'attente, ils furent libres.

Ils avancèrent leurs montres d'une heure. Il était treize heures à l'horloge turque. Desséchés, molestés, ils ne demandaient pas grâce. Enfin, Istanbul s'ouvrait.

– Je vais rentrer à Paris, dit Jacques quand il fut seul avec Claire dans leur chambre d'hôtel.

– Tu ne peux pas faire ça. Je ne te laisserai pas partir. Tout ce temps, toute cette fatigue, arriver enfin ici... et tu ne verrais rien !

– J'ai vu.

– Si tu pars, je pars avec toi.

– Je vais à la gare consulter les horaires. Repose-toi.

Jacques la laissa dans cette chambre un peu triste, sans confort, où ils avaient échoué par lassitude, parce que le nom de l'hôtel avait une vague consonance française, et que, pour la première nuit, ils ne réclamaient qu'un lit et le sommeil.

Dans l'esprit de Claire, des images sinistres se bousculaient au rythme de ce train, poussif à l'oreille, collant à la peau. Tantôt elle imaginait Jacques, seul, perdu, abandonné dans un wagon roulant sans but ; tantôt elle se voyait à ses côtés fuyant Istanbul et tout ce dont elle avait rêvé, appliquée seulement à lui faire payer jour après jour le sacrifice qu'elle s'était infligée. Entre eux, le silence et la haine.

Mais aussi, il y avait une image qui fulgurait, qu'il fallait repousser et qui s'acharnait. Insinuante, rapide. Celle de Claire et Valentin isolés dans la ville. Ils allaient se tenant par la taille entre des mosquées dont ils égrenaient les noms en riant.

Non, c'était un mirage. Il n'y aurait pas Claire et Valentin seuls dans Istanbul ; leur bonheur coûterait trop cher à Jacques. Mais il ne fallait pas non plus quitter Valentin, fuir la ville. Ils devaient y rester tous les trois, ensemble ou séparés ; ils l'avaient méritée.

Elle alla frapper à la porte de Valentin ; il lui dit d'entrer de cette voix qu'elle aimait. La chambre était un cachot minuscule dont la lucarne n'établissait qu'un lien fragile avec l'extérieur. Valentin gisait de tout son long au milieu des bagages. En la voyant, il se dressa sur les coudes. Elle remarqua que la fatigue avait sculpté son visage et qu'il ressemblait encore plus aux Christs du Greco.

— Jacques veut rentrer à Paris, dit-elle en se laissant tomber au bord du lit.

— Claire ! Ne pleure plus, et explique-toi.

Il regardait ses yeux, le désordre de ses cheveux, et le léger fléchissement de son cou, habituellement droit et toujours prêt au défi.

— Il faut tout m'expliquer, insista-t-il en effleurant son visage qu'il aimait dans le rire, qu'il découvrait dans les larmes.

— Je t'ai suivie, Claire, sans bien comprendre.

— C'est simple, il veut partir.

— Et toi ?

– Je ne peux rester que si je réussis à le retenir. Aide-moi.

– Dans le train, dit Valentin, j'ai beaucoup pensé à ce qui allait nous arriver. Je croyais que Jacques et toi, vous vous sentiez très libres. Pourquoi, après avoir gardé tes distances pendant des semaines, as-tu fait tout exploser alors que Jacques était juste à côté de nous ?

– Des distances ? Penses-tu vraiment qu'elles étaient grandes ?

– Non, mais tu étais sur la défensive.

– L'offensive me va mieux. Je préfère choisir qu'être choisie.

– Alors choisis : que devons-nous faire ?

– Retenir Jacques. Viens lui parler dès son retour.

– Je ne souhaite pas non plus qu'il s'en aille. J'ai de l'amitié pour lui, tu sais.

– Je sais, dit Claire.

C'était d'elle qu'on attendait tout. Une décision, un choix, une ligne de conduite. Il y avait Jacques dont le regard pesait comme un reproche ; et il y avait Valentin de plus en plus lourd, dont la présence grignotait progressivement Claire.

Elle sentait à quel point ils dépendaient les uns des autres, combien de liens les tenaient serrés. Ils étaient arrivés à une sorte d'équilibre, solution précaire et inévitable, mais qui semblait à cet instant la seule possible. Prisonniers de cette ville inconnue, ils devaient apprendre à s'y mouvoir, à y respirer ; puis, ainsi que la cité s'organiserait peu à peu, leurs sentiments, leurs affinités, les conduiraient à d'autres rapports. Il était trop tôt maintenant pour les établir.

Claire savait aussi qu'elle suivrait Jacques s'il s'entêtait dans sa volonté de partir, parce qu'on n'abandonne pas au bout du monde un enfant que l'on a porté trois ans et que cette résolution permettrait à son mari de sortir de l'enfance. Leur couple ne serait pas sauvé pour autant, mais Jacques commencerait à exister par lui-même. S'il pouvait avoir jusqu'au bout le courage de son refus, il deviendrait autonome. Alors, on parlerait d'égal à égal et tout serait plus facile.

Jacques annonça qu'un train partait pour Paris le soir même. Elle lui demanda combien de places il y avait retenu. Il ne répondit pas. Les questions précises étaient pour lui des agressions. Il pratiquait l'esquive. Il se lança dans une description de la ville. L'avait-il vue ainsi ? Était-ce la réalité ou une vision de cauchemar ? de son cauchemar ? Il parlait de crasse repoussante, d'affamés geignant sur les trottoirs, de jeunes infirmes armés de béquilles sautillant à la poursuite d'un ballon dans une partie de foot-ball dérisoire.

Jacques s'était trompé ; ce n'était pas Istanbul qu'il avait regardée. Où était-il ? A Calcutta ? dans le bidonville d'Abidjan ? Il inoculait son désespoir au monde entier. Il n'en finissait pas de dire la misère. Claire lui en voulait de chercher à l'émouvoir par le biais, de ne pas avouer sa souffrance, mais de faire que la planète tout entière fût douloureuse, et qu'elle se sentît coupable de pouvoir encore y vivre et y rire. Ce n'était pas à son mari qu'elle faisait injure, elle crachait à la face de l'humanité.

Valentin entra avec son grand corps. Son regard hésitait ; il allait des yeux de Claire à ceux de

Jacques. Elle crut qu'il allait s'empêtrer dans ses mots. Elle ne lui vint pas en aide. Il était grand ; ils étaient grands. Elle oubliait qu'elle était la seule à pouvoir comprendre la situation. Pour Jacques, tout avait chaviré sur le quai d'Edirne et il ignorait si elle s'était laissée porter par son caprice ou par sa passion. Et Valentin n'avait pas réussi à deviner les rapports de Claire et de son mari. Elle-même, ne se perdait-elle pas dans ses désirs : retenir Jacques, ne pas perdre Valentin ?

Il fallait en sortir. Qu'il parle !

La voix de Valentin était calme, assurée. A chaque fois Claire s'étonnait que de ce corps dégingandé puissent sortir des mots qui ne balbutiaient pas. Tantôt ils se brisaient net dans la joie ou la colère ; tantôt ils remuaient au tréfonds, et d'être chuchotés, ils gagnaient en force. Claire se souvint de la première lecture du texte de Gorki et du murmure intérieur de Valentin lui donnant la réplique. Les chiens devaient obéir à sa voix.

Valentin disait que Jacques ne partirait pas. Demain, tous trois seraient valides ; demain, ils se sépareraient. Valentin chercherait un autre hôtel, il s'éloignerait. Peut-être se retrouveraient-ils au théâtre, peut-être au hasard de leurs promenades. Ce serait tout. Claire l'écoutait, et il disparaissait dans la ville. Elle l'appelait, elle savait qu'ils se rejoindraient.

Jacques acceptait ; il ne demandait qu'à se laisser convaincre. S'il se montrait têtu, c'était seulement pour la forme. Elle le sentait prêt à s'installer dans n'importe quelle situation pour peu qu'on ne le rejetât pas tout à fait. Il aimait vivre par personne interposée. Un animal résigné, Jacques.

L'audience fut levée. On ne parla plus de départ. Puisqu'on se quittait le lendemain, on pouvait passer la soirée ensemble sans scrupules. On avait franchi l'obstacle.

Istanbul avait entassé la chaleur de la journée dans ses ruelles et sur ses places. Ils débouchèrent sur une large avenue où hurlaient les klaxons et la foule. Taxis, piétons, autos et charrettes se mêlaient. La poussière et la canicule avaient investi la ville. Toutes deux semblaient venir des entrailles de la terre, de cette terre qui avait tremblé, là, en Asie, de l'autre côté du Bosphore ; et qui, à tout moment, pouvait être reprise de folie. Que l'écorce se rompe, que l'asphalte fumant se fendille, Istanbul n'en aurait guère paru plus incohérente.

Peut-on imaginer un tremblement de terre qui ne s'accompagne pas de chaleur ? Peut-on imaginer un tremblement de terre sans un nuage de poussière au ras du sol, rapide, mouvant comme une lave volatile ?

Ils découvraient cette odeur molle de miel et d'amandes qui imprègne le Proche-Orient. Elle stagnait sur toute la cité, avec des relents plus écœurants à la hauteur des soupiraux derrière lesquels les pâtissiers s'agitaient. Les douceurs turques s'empilaient dans les vitrines : des arcs-en-ciel de loukoums, des éboulis de baklavas résineux. Les Turcs et les touristes les dévoraient debout, ou assis autour d'une théière, aux terrasses ou dans des salles enfumées. Le sucre et la poussière craquaient sous la dent.

Persistante, l'odeur, pensait Claire en buvant un café outrageusement sucré. Elle la respirait à s'en étouffer. Elle désirait l'aimer et elle ne trouvait que le dégoût. Elle n'avait pas voulu de gâteaux.

– Bientôt, tu ne pourras plus t'en passer, dit Valentin.

Il engloutissait kaymaks et loukoums ; déjà, il était turc. Ses doigts s'enfonçaient dans la pâte d'amande et il les léchait un à un. Claire et Valentin connaissaient deux langages : ceux de la faim et de la joie. Qui pouvait empêcher Valentin de manger comme un rustre ? A table, il était exhibitionniste. Il mordillait, rongeait, aspirait, broyait ; les lèvres en mouvement, le regard lubrique. Sa main pétrissait le loukoum rose et douceâtre ; ses yeux déchiquetaient Claire.

– Claire a toujours un temps de réflexion avant de savoir si elle va aimer, dit Jacques. Une fois décidée, elle ne pense plus.

– Mon père m'a toujours dit que j'avais les yeux plus grands que le ventre. Alors je mange d'abord du regard.

– Et ensuite ? interrogea Valentin.

– Ensuite, j'ai le ventre plus grand que les yeux.

Le dégoût, il n'y avait déjà plus de dégoût. Seulement du sucre sur les lèvres de Valentin, du sucre dans le café. C'était un peu poisseux ; ça donne envie de mordre le sucre. L'idéal serait une ligne brisée, à ses pointes la violence, dans ses creux la tendresse. L'une appelle l'autre. Jamais l'une sans l'autre. Claire flottait. Parfums, chaleur, fatigue ; elle se laissait emporter à vau-l'eau.

La nuit allait bien à Istanbul.

Ils virent la Sublime Porte tordre son marbre parmi les fontaines. Sur la place du Sultan Ahmet, ils se heurtèrent à la masse sombre de Sainte-Sophie ; à leur droite, la Mosquée Bleue envoyait au ciel une légion de coupoles. Les jardins se desséchaient dans une odeur de foin. Au loin, le Bosphore brasillait.

– Découvrir une ville, je ne connais rien de plus émouvant, dit Claire.

Valentin parla longtemps de celles qu'il avait aimées. Il raconta comment pendant quinze jours, il fut le prisonnier volontaire du Bario Chino de Barcelone. Comment à Madrid, il avait passé toute une nuit à discuter sur un banc avec un ami péruvien passionné de théâtre, qui ne sortait qu'à la tombée du jour en cape noire et le visage fardé. Au matin, ils s'étaient endormis dans un jardin pour s'éveiller au poste de la Guardia Civil. A Gênes, il avait rencontré une prostituée suffragette qui voulait syndiquer les dames du port, et qui, son travail accompli, offrait à ses clients préférés une rose rouge.

Ses récits étaient ponctués par la formule shakespearienne : Tudieu, j'en ai vu des choses ! Mais il n'avait pas atteint la satiété. Il n'en viendrait jamais à bout de sa fringale.

Jacques écoutait, questionnait, raillait parfois. Il appréciait qu'on lui contât des histoires. Les choses et les êtres lui parvenaient mieux par ricochet.

Quand Valentin avoua qu'il avait été marié trois semaines, Jacques l'interrompit sur un ton de reproche :

– Mais tu ne nous avais jamais dit ça.

– Oh ! je n'ai été marié qu'une seule fois. Ce n'était pas très important. J'ai appris pourtant qu'un quart d'heure avant de dire oui, on peut encore dire non.

Claire ignorait que Valentin eût été marié. Mais

trois semaines, était-ce un mariage ? Et trois ans, trois en septembre, trois ans dans un mois, c'est quoi ?

Il y avait eu une mairie dans la banlieue lyonnaise. Jolie, la mairie ; et puis les tantes, les oncles, une auberge de campagne, un cousin qui jouait de l'accordéon. Pourquoi, Jacques, ne m'as-tu pas laissé ce bon souvenir ? Sur les photos, je souriais. J'avais les cheveux courts, des joues plus rondes qu'à présent ; et tu m'avais dit que j'étais belle en blanc. J'étais vraiment belle. Quand on part pour la vie avec celui qu'on aime, on est toujours belle.

Alors, pourquoi trois jours après, a-t-il fallu que nous entrions en cachette, par la porte de côté, dans cette église où tu as voulu un prêtre pour « bénir notre union » ? Pendant quatre mois, tu m'avais torturée, attendrie. Et cette messe, je l'avais acceptée à l'usure, à la fatigue. Tu l'avais obtenu, ton curé.

Si tu avais été vraiment croyant, Jacques, je te l'aurais offerte avec joie ta chapelle et ta jeune épousée, confessée, communiée, repucelée. Mais, non, c'était une épreuve de force, un caprice. Tu pensais qu'un livret de famille, ce n'était pas assez ; une soutane et des sermons plein la bouche c'est un boulet plus lourd pour les femmes qui se sentent des ailes au cœur. Tu disais qu'il y avait des moments dans la vie où l'homme devait être solidaire de sa communauté. Et la femme, Jacques ? Et ta femme ? Plongée, immergée, la tête sous l'eau tu m'as tenue. Et j'ai éprouvé la plus grande honte de ma vie : me désavouer. Un avortement, c'était. On raclait à l'intérieur de moi ; on m'extirpait ma chair. Les deux témoins aux mines imbéciles, que nous avions racolés sur le trottoir, me regardaient de leurs yeux vides. J'avais mal, mais je ne criais pas, Valentin. Ce soir aussi, je me tais ; je ne te dirai pas.

Ils marchèrent lentement jusqu'à l'hôtel. Assis devant leurs portes, les Turcs grappillaient un peu de fraîcheur. Les rues étaient balisées de poubelles où se nichaient toute une multitude de chats squelettiques. Des musiques lancinantes et rauques s'effilochaient dans la nuit.

Claire sentait demain approcher. Demain, tu ne nous quitteras pas Valentin. Je répète trois fois : demain, tu ne nous quitteras pas. C'est décidé, Valentin, nous te garderons.

A cinq heures du matin, le sommeil abandonna Claire. On appelait les fidèles à la prière, mais ce n'était pas le muezzin qui avait fait basculer son rêve. Sous les draps : une morsure, sa chair à vif, une agression ténébreuse, et encore tant de fatigue qu'elle hésitait à s'éveiller tout à fait. Non, c'était trop. Elle souleva la couverture et elle vit des insectes ; plus que des insectes, des punaises puantes et ivres de sang.

Son cri fit sursauter Jacques. Sur les murs et autour des tuyauteries, d'autres variétés d'insectes, des lécheurs, des piqueurs, des suceurs, colonisaient la chambre. Ils étaient cernés. Claire s'était tue ; affalée sur une chaise, elle demeurait anéantie. Jacques constatait les ravages. Devant l'envahisseur, il ne restait plus qu'à battre en retraite.

– Il faut prévenir Valentin, dit Jacques.

– Oui, risqua Claire.

– Tu as mal ?

– Non, mais je ne pourrais pas me rendormir ici. Va réveiller Valentin.

Jacques ramena un Valentin ensommeillé qui, à peine arrivé sur les lieux du désastre, fit demi-tour et dégringola l'escalier. Alors, des étages inférieurs, monta sa voix de stentor qui parvenait tout juste à couvrir les criailleries des deux matrones gouvernant la place.

Par l'entrebâillement des portes, quelques clients hirsutes risquaient la tête ; les plus aventureux se penchaient au-dessus de la rampe. Valentin parlait fort, les furies parlaient turc. L'échange était nourri bien que les combattants ne se comprissent pas. A la tonalité des voix, il devait s'agir d'injures...

Valentin émergea des enfers hôteliers, le gosier et le joues en feu.

– Partons tout de suite, dit-il. A l'université, on verra Selim qui s'occupe du festival. Il nous procurera des chambres moins infectes.

Istanbul s'agitait déjà. Sur les trottoirs, on se disputait les dolmus, taxis collectifs sillonnant la ville et la banlieue à grand bruit. Les chauffeurs répondaient d'un coup de kaxon aux mains qui les hélaient et se penchaient à la fenêtre pour crier leur direction. C'étaient de vieilles voitures américaines dont les banquettes et les amortisseurs accusaient des dizaines d'années de survie dans la poussière et la cohue.

A l'université, les étudiants avaient veillé toute la nuit. Leur festival commençait le jour même par un défilé des groupes folkloriques turcs et étrangers. Ils avaient eu à accueillir les comédiens et les spectateurs, étudiants pour la plupart, venus des quatre coins du monde. Certains dormaient encore dans le hall, au milieu des sacs à dos, des affiches et des prospectus. Les barbes blondes côtoyaient les moustaches noires, et les djellabas, les saris et les mini-jupes.

Malgré la diversité de vêtements et de couleurs de peaux, ils avaient tous en commun un air de jeunesse qui n'était pas dû seulement à leur âge. Ils étaient des nomades. Pour Istanbul, et pour le théâtre, ils faisaient une halte, puis ils repartiraient. L'arrêt définitif n'était pas encore pour demain, aussi leurs regards étaient-ils vifs au réveil. Ils n'avaient pas trouvé ce qu'ils cherchaient, mais ils espéraient.

Un jour peut-être, s'installeraient-ils en quelque lieu de la planète ; fixés au sol, prisonniers à vie. Avec le visage las de la démission, ils diraient à de jeunes barbus aux yeux avides, tout pareils à ce qu'ils furent : « Vous n'avez rien inventé. En vieillissant, vous verrez, vous en rabattrez. »

Pour l'instant, ils préféraient imaginer, imaginer le plus longtemps possible. Alors ils se pelotonnaient à même le sol, et dormaient en paix avec leurs désirs.

Selim leur offrit un café sirupeux et fit à Valentin un accueil à la turque : embrassade et tapes dans le dos. Ils avaient travaillé ensemble un an plus tôt dans un théâtre de la banlieue parisienne. Selim était un Othello jovial. Tout était large en lui : le nez, la mâchoire, les épaules, et surtout les mains, des mains faites pour étrangler Desdémone.

– Nous venons te demander assistance, ô grand Selim, dit Valentin.

– Selim est prophète, Selim sauve tout le monde, répliqua-t-il de ses grosses lèvres brunes enchâssées dans la barbe.

Valentin raconta leurs déboires nocturnes, et

Selim eut un rire barbare en dévisageant Claire :

– En Turquie, même les punaises ont le goût délicat.

Jacques était très blanc dans ce désordre multicolore. Pantalons blancs, espadrilles blanches, chemise de coupe militaire à petits carreaux noirs et blancs ; un explorateur perdu dans un campement indigène. Il supportait mal la chaleur, et ses cheveux clairsemés restaient collés sur son front. Derrière ses lunettes aux verres fumés, il devait observer. Il les portait de plus en plus souvent, ses lunettes. Il les avait mises d'abord pour travailler, et bientôt du matin au soir. A Istanbul, il ne les quittait plus. Il craignait la luminosité du Bosphore et Claire heurtait trop son regard. Cet été, elle ne se vêtait que de couleurs vives. Elle avait une robe d'un vert cruel sur le quai d'Edirne.

Avec Valentin et Selim, il discutait des programmes du festival. Il était à l'aise. Il n'avait pas à forcer sa nature. Jacques et le théâtre se ressemblaient : mystérieux alliage du rêve et de la réalité, masque derrière lequel la personnalité se cache et se révèle, se morcelle et se recompose.

Il parlait mais il était seulement en visite. Claire l'avait toujours senti absent. Pas loin ; pourtant jamais là. Elle le connaissait peu. Il était si différent d'elle.

Dieu ! comment auraient-ils été, les enfants que nous n'avons pas eus ? Trop tendres comme Jacques ou durs comme Claire ? Le poil maigre ou la toison léonine ? Les yeux traqués ou les yeux chasseurs ? Peut-être réussis, les enfants que nous n'avons pas eus.

Jacques avait oublié les accords passés la veille.

Valentin demandait à Selim une provision de D.D.T. et deux chambres dans un hôtel tranquille. Il n'était plus question de se séparer. Jacques descendait très vite la pente de l'acceptation, et les fous n'avaient plus personne pour les garder.

A l'entrée du sérail de Topkapi, on passe devant la fontaine du Bourreau et devant la pierre qui servait de billot. On y décapitait les favoris et les Grands Vizirs dont le Sultan s'était fatigué ou dont les Janissaires voulaient se débarrasser. Par une succession de portes, on pénètre dans les entrailles de cette forteresse du crime, du luxe, de la puissance et de la lâcheté.

Les trésors du monde y convergent ; entassement millénaire pesant pour le visiteur. Ce musée trop riche en porcelaines, en joyaux, en costumes, en étoffes, épuise les mille et une folie des hommes et laisse peu de place au rêve. Tout ici a existé : les assassinats les plus atroces, les fêtes qui durent un mois, les dîners de dix mille couverts, les émeraudes grosses de toutes les convoitises. Chaque chose est classée, datée, répertoriée.

Jacques, Claire et Valentin n'avaient pas le goût des catalogues. Ils préféraient les mots qui nomment sans violer ; mots assez flous pour ne pas mettre la vérité à nu : Porte du Milieu, Porte du Salut, Porte des Morts, Porte de la Félicité, Mosquée du

Sofa, Place du Divan... Ils ne voulaient pas entendre le guide et faisaient fi de l'histoire et de ses anecdotes. Ils auraient voulu aimer sans comprendre.

Ils prenaient au hasard un cèdre trois fois centenaire, un vase céladon de la dynastie Yuan. Ils imaginaient dans les nuits d'autrefois, le cliquetis des armes, le bruit des complots le long des couloirs sans fenêtres, et, parmi les fontaines, d'énormes tortues aux carapaces serties de bougies répandant la lumière sur des orgies interminables.

Malgré eux, ils étaient pris dans le flot des touristes, et ils devaient piétiner dans la poussière et faire une station devant chaque vitrine. Alors qu'ils demandaient : étonnez-moi, on leur répondait : je vais tout vous dire. Puisqu'il fallait se soumettre, Jacques et Valentin, leur batterie d'appareils photos bien en évidence sur l'estomac, se firent la longue démarche et la mine ahurie de Monsieur Hulot, et prirent le guide dans un feu roulant de questions farfelues ce qui freina un peu plus l'écoulement des consommateurs de merveilles.

Jacques était d'humeur charmante ce matin. On n'envisageait plus aucune séparation. Ils avaient deux chambres au même étage d'un hôtel du quartier de Taksim. Valentin et Jacques avaient retrouvé ce ton complice qui leur allait bien, et il n'y avait jamais de balles perdues. A l'attaque de l'un, l'autre ripostait à la seconde même. Cet échange n'avait rien de meurtrier ; il se terminait invariablement par des rires.

Si cette situation satisfait Claire, en lui permettant de conserver et Jacques et Valentin, elle ne lui en paraissait pas moins trouble. Jacques n'avait pas oublié ce qui s'était passé. Pourquoi avait-il capitulé ? Craignait-il de perdre Claire en la privant de Valentin ? ou bien Valentin lui était-il devenu nécessaire au point de tout risquer sciemment ?

Double, Jacques ? Il était né sous le signe des Gémeaux, mais Claire avait toujours méprisé l'astrologie. D'ailleurs, il ne s'agissait pas vraiment de duplicité. Il était flou, mal terminé ; le Créateur avait dû s'endormir aux deux tiers de son œuvre.

Claire avait mis deux ans pour découvrir ses mensonges, pour découvrir que leur mariage était bâti sur un mensonge. Si Jacques avait tant désiré un curé, n'était-ce pas pour lui confesser sa faute ? Non, Claire était sûre qu'il n'avait même pas ressenti le besoin d'un pardon? La fin justifiait les moyens. Et c'était elle, la fin ; une fin fiancée, mariée par le maire, remariée par le curé. Bref, munie de toutes les estampilles.

Elle achevait sa dernière année de licence ; il était professeur. Un jour, il lui dit qu'il avait demandé et obtenu sa nomination pour le Brésil. Claire l'avait félicité ; et, il avait ajouté que deux ans c'est long. Très long. Mais il pouvait l'emmener à condition qu'ils se marient.

Au bout d'une semaine, elle avait accepté. Il lui plaisait, Jacques ; et, une vie commune commençant par un voyage au bout du monde était tentante. On fit des projets.

Un mois plus tard, Jacques annonça que, par une fantaisie administrative, il n'y aurait pas de nomination brésilienne cette année-là. Entretemps, Claire avait connu les parents de Jacques. Elle était devenue la promise ; et la promise n'eut pas le courage d'être parjure. Elle se fit belle pour les fiançailles ; elle s'exclama quand on lui passa un saphir à l'annulaire bien qu'elle eut dit et répété qu'une voiture serait beaucoup plus utile.

Deux ans plus tard, tout à fait par hasard, elle apprit du directeur du lycée que Jacques n'avait jamais demandé de nomination pour l'étranger.

Quand je l'ai su, Jacques, je ne me suis pas attendrie. « Une femme normale serait émue qu'on l'ait désirée à ce point », m'as-tu dit. Eh bien, je ne suis pas une femme normale ! Je déteste les prisons, Jacques ; et, non seulement tu m'as enfermée, mais tu t'es servi d'un piège. Jacques, toi qui n'es pas un chasseur, tu ignores que les animaux, les vrais, ceux qui méritent l'épithète de sauvage, savent à coups de dents et à force de hargne s'amputer d'une de leurs pattes pour recouvrer la liberté. S'il y avait un Dieu pour les êtres libres, Il ferait repousser la patte martyrisée. Mais ne crains rien, Jacques, je ne me servirai pas de mots, moi. Je ne dirai rien.

Elle était d'accord : on lave son linge sale en famille. Mais Dieu ! qu'il pue quand un étranger arrive ! Par comparaison, sans doute : je croyais ma chemise propre, mais celle de... Trop bas, trop lâche, tout cela. Ne rien dire, ne pas accuser. Claire est orgueilleuse. S'être laissée jouer à ce point, quelle honte ! Elle ne parlera pas ; elle agira.

On était arrivé au harem ; le guide excitait la convoitise de sa clientèle en évoquant les épouses et les odalisques de Soliman le Magnifique. Il exhibait les cachots, les escaliers secrets, les corridors sombres. Les regards s'allumaient et flambaient pour ce strip-tease du passé.

On engraissait de confitures de roses les belles d'autrefois privées de lumière et de liberté. Et, il n'y avait jamais assez de chiens pour garder le troupeau voluptueux. Même aux eunuques, on ne pouvait se fier. Les diablesses aux ventres de loukoums étaient si frustrées qu'elles se seraient jetées sur eux. Alors, on fit venir des eunuques de race noire et on sélectionna les plus laids. Oui, les plus laids, disait le guide.

– Et alors ? demanda Claire.

– Alors ? répéta le guide soudain à court d'arguments.

– Ça a marché ?

– Oui, sans doute, répondit-il un peu surpris.

Et Claire pensa que la laideur était pourtant bien attirante.

Au fur et à mesure qu'elle allait plus loin dans Topkapi, Claire était agacée par la lenteur du parcours, mais aussi par de mauvaises démangeaisons à la surface de sa peau. Les bêtes de la nuit avaient besogné sa chair et exercé leurs sévices sur ses bras, son décolleté, et aux alentours de ses genoux. De petites plaques rougeâtres qui n'avaient pas bonne mine. Jacques s'alarma. Ils quittèrent le palais des Sultans pour l'hôpital.

Dans les jardins desséchés, près du pavillon affecté au traitement des maladies de la peau, de nombreux patients promenaient des furoncles, des anthrax, toute une vie anarchique, protubérante, suintante. L'agression microbienne n'était peut-être pas pire ici qu'ailleurs, mais il y avait cette accoutumance au malheur, ce sens inné du tragique, qui permettait aux malades de ne pas faire mystère de leurs infirmités. Ils acceptaient leurs goitres et leurs membres torturés.

Des gazons poudreux, des cactus fourbus, un air

raréfié. Claire respirait une odeur de plaie ouverte. Elle s'arrêta.

– Je fais des histoires pour rien. Mes bobos se soigneront bien tout seuls.

– Non, tu y iras, dirent Jacques et Valentin en la prenant chacun par un bras et en l'entraînant de force dans un couloir où se mêlaient des relents d'embrocations et de soupe.

Le jeune médecin, qui en avait vu d'autres, lui dit en anglais que ce n'était pas grave et il lui prescrivit une pommade blanchâtre. Elle n'insista pas et fut heureuse de s'en tirer à si bon compte. Mieux valaient le soleil et la mer que les médications.

Istanbul était en fête. Les troupes venues de tous les pays et les groupes folkloriques défilaient dans les rues à grand renfort de musique et de haut-parleurs. On oubliait tout, la fragilité de l'écorce terrestre, l'éternel qui-vive de la police turque. Le bruit et le mouvement étaient faits pour cette ville.

La population massée sur les trottoirs applaudissait les chemises rouges et les bottes des cosaques qui rebondissaient sur la chaussée comme des toupies, les grands sabres courbes de Turcs qui tranchaient net la chaleur, les corsages brodés et les sourires malicieux des petites Hongroises (drága kislámy ! drága kislámy ! criait Valentin qui se souvenait de ses origines), les sabots des Finlandaises aux jambes échassières.

A un enfant, ils achetèrent des tranches de melon et des brochettes de langoustines grillées sur un brasero.

Ils aperçurent Selim.

– Ça va les touristes ? hurla-t-il. Le moindre son

qu'expulsait sa puissante carcasse était un cri de guerre.

– Pas mal, pas mal du tout, répondit Valentin.

– Vous savez, on l'attendait votre Gorki. Je suis très déçu.

– Et moi donc, dit Valentin.

– J'ai bien l'impression que tu ne regrettes pas tellement. Un traître, tu es. Toi, venir ici en simple visiteur ! Honte à toi !

Il lui asséna quelques insultes avec une rudesse que la bonhommie de son sourire démentait. Valentin l'attira à l'écart avec des mines de conspirateur et elle l'entendit lui confier :

– Avec ou sans troupe, Istanbul me plaît. Un coup de foudre, mon vieux ! J'ai des fourmis dans le cœur et des langoustines sucrées sur la langue.

Il fallait franchir la Corne d'Or pour se rendre au théâtre. Le trafic était aussi dense sur les eaux que sur le pont. Les deux rives de la ville avaient engendré des formes qui s'enchevêtraient sans aucune logique, dans un grouillement à la fois minéral et organique rappelant les horizons bousculés de Tanguy. Un ciel délavé pesait sur cet éboulis.

On était surpris de découvrir dans le quartier chamarré de Taksim, une salle de théâtre si conventionnelle ; du velours rouge élimé et des loges bêtement à l'italienne accueillaient ces étudiants pour qui jouer était un acte de foi et une prière. Ils croyaient pouvoir changer le monde.

Pas le moindre ventilateur. A cinq heures de l'après-midi, à la limite de l'Europe et de l'Asie, ils seraient chaque jour plus de deux mille à s'entasser sur les fauteuils et dans les allées pour voir, entendre, aimer ou conspuer. Les vieilles tentures, les girandoles de lumière prendraient un coup de vieux et ce serait tant mieux. Il y avait un peu d'inquiétude dans cet enthousiasme ; était-ce la dernière danse avant l'apocalypse qu'ils souhaitaient et redoutaient à la fois ?

A la nuit, on respirait mieux sur les gradins en plein air. Ce n'était plus le bivouac réservé aux nomades, les spectacles folkloriques attiraient la population turque. Près de dix mille personnes mangeaient, buvaient, applaudissaient, chantaient et marquaient le rythme.

Il y avait dans cet amphithéâtre ouvert sur le Bosphore, une foule parcourue par une vibration unanime en dépit des races et des opinions ? Autrefois, il avait dû exister des fêtes de ce genre dont la qualité tenait plus à cette sorte d'étrange communion qu'à ce qui était exprimé sur scène.

Où ? Quand ? Peu importait, elles avaient été les fêtes de jadis, et ce n'était plus seulement à Istanbul qu'on s'asseyait côte à côte pour célébrer l'événement, mais on retrouvait tous ceux qui avaient su vivre à l'unisson pour que la cérémonie s'accomplît.

A l'entracte, la cohue était telle que Valentin saisit le bras de Claire et l'entraîna un peu à l'écart. Il la plaqua contre lui et elle sentit son sexe contre son ventre. Leurs lèvres s'écrasaient, leurs langues s'étiraient, plus longues que celles des gargouilles de Notre-Dame, cependant que la rage les prenait de ne pouvoir connaître d'autres pénétrations. Pas un seul baiser intime ; toujours la tiédeur des autres. Cette communauté dont ils avaient guetté le rythme vital pour s'y accorder, ils n'en pouvaient plus de la sentir présente avec son pouls obsédant.

Deux gamins leur envoyèrent de grosses mottes de terre dans les jambes et s'enfuirent en poussant des cris aigus. Des femmes en noir, les yeux exorbités, gesticulaient dans leur direction et devaient hurler à l'indécence. Ils comprirent mal en quoi leurs corps enlacés insultaient les sombres furies.

Ils rejoignirent Jacques qui feignit ne pas avoir remarqué leur absence. Il ne se montrait plus à visage découvert ; ses yeux avaient disparu à jamais derrière ses lunettes.

– Un jour, dit Jacques, nous reviendrons ici avec un spectacle que nous aurons fait ensemble.

Claire percevait confusément que Jacques voulait lui arracher Valentin quand il évoquait cet amour du théâtre qui les liait. Jacques se débattait, doublement meurtri dans son amitié et dans son amour. Ces airs de connivence qu'il échangeait avec Valentin et dont elle s'était tant réjouie, il lui arrivait maintenant d'en prendre ombrage.

Elle regardait les pieds de Valentin battre le rythme de la danse caucasienne. Elle aimait ses chevilles. Était-ce parce que sa main s'y était posée en premier ?

Ce fut l'anniversaire de Claire. A cette occasion, elle désira connaître la côte toute proche de l'Asie. On descendit jusqu'à l'esplanade de Kabatas et l'on prit un bateau en direction de la rive promise.

On sautait d'un continent à l'autre sans que l'aventure fût du voyage. Rien de plus anodin que ce ferry-boat surchargé de voitures, enfoncé de toute sa coque dans des eaux tièdes et paisibles. A peine une brise dans les cheveux. On se répète : c'est l'Asie, c'est l'Asie. De loin l'Asie ressemble beaucoup à cette Europe trop connue qu'un jour seulement on a tant envie de laisser derrière soi.

Jacques et Valentin, leurs appareils photos autour du cou, avaient repris leur démarche à la Hulot. Mains derrière le dos, torse pointé, nez humant l'air, grandes enjambées élastiques.

Qu'importaient les conflits de la veille ! Tous trois étaient neufs au matin. Était-ce de l'inconscience ? La vie plutôt, la vie dont on s'emplit à l'aube quand on sait que midi sera chaud ; l'amitié aussi et le refus du drame. On pouvait encore rire, rire de rien, simplement du bonheur d'être ensemble. Il n'y avait pas de retour en arrière, pas de regrets, pas de « si j'avais su ». On ne bâtissait pas au conditionnel ; on donnait du cœur dans le présent.

Il y avait ces jeux de l'innocence jamais organisés mais instinctifs. Valentin et Jacques armés de leurs appareils photos faisaient feu sur Claire qui prenait des mines de star. On savait courir, sauter. On oubliait tout. Sur cette embarcation où voitures et gens s'entassaient, ils étaient trois.

On avait laissé à droite un petit îlot surmonté d'une tour où le jeune Léandre avait, dit-on, péri noyé alors qu'il poursuivait de sa passion Héro, prêtresse de Vénus. La mer de Marmara faisait se rencontrer deux continents et les légendes de l'amour et de la mort.

A la proue du navire, l'Asie se dessinait. Une Asie timide : seulement un faubourg d'Istanbul, outre-Bosphore. Ce quartier, le plus turc de la cité se nommait Usküdar, mais il avait été autrefois Chrysopolis et la lumière matinale en portait témoignage. Elle était d'or sur cet amphithéâtre que si disputaient la mer et la terre, d'or sur son immense cimetière qui racontait l'histoire des hommes, d'or sur cet enchevêtrement de maisons en bois où l'on vivait de toute éternité.

On se bousculait dans les avenues. Les femmes étaient vêtues de longues jupes noires. Tout s'apaisait dans les lieux de prière. Ils pénétrèrent dans la cour d'une moquée à la coupole cerclée de petits dômes.

L'enceinte déterminait une zone de silence et de recueillement. On ne s'agitait plus ; gestes lents de l'homme qui lave son corps et veut préserver son âme. Devant le portique aux six colonnes, la fontaine aux ablutions versait une eau fraîche. Jacques photographia Valentin et Claire y baignant leurs pieds. En terre musulmane, on se fait beau pour Dieu.

Claire portait une robe blanche à rayures bleues. Elle avait banni le maquillage, et, quand elle faisait face au soleil, son regard sombre avait des étincelles jaunes. Sa peau n'avait plus la blancheur du jour où Valentin était entré dans le parc et avait aperçu Claire en maillot de bain sur la terrasse. Loin ce premier jour ; il s'égarait à la naissance du monde, dans les remous des renoncements.

L'eau fraîche chassait la poussière et la transpiration. Valentin et Claire avaient beau la faire ruisseler sur leurs jambes, leurs corps, dépouillés, insatisfaits, s'effleuraient jusqu'à la crispation et battaient de désir comme des gorges de grenouilles. Ils enduraient de cruelles privations. Depuis tant de jours qu'ils marchaient l'un vers l'autre, ils commençaient à craindre que le temps ne fût perdu.

Un homme en djellaba blanche et chéchia rouge jetait de la sciure sur les dalles. Des affiches prescrivaient aux fidèles de rejoindre La Mecque par Caravelle. En plusieurs langues, la mosquée était interdite aux dévoyés, aux ivrognes, aux sorciers, et à toute personne de tenue indécente. Étaient prohibés la désinvolture vestimentaire, l'exhibitionnisme outrageant, les promenades offensantes pour les bonnes mœurs, les paroles inconvenantes, les gestes grossiers...

Claire se déchaussa et refusa les babouches. A l'intérieur de la mosquée, il y avait des tapis doux à la plante des pieds, des ombres bleues, des faïences émaillées et des hommes en prière. Une grosse chatte noire et ses petits avaient élu domicile dans un recoin de la salle de prière. Dès qu'on s'approchait de sa progéniture, la mère poussait des miaulements stridents qui tourmentaient le silence de la mosquée.

Claire resta longtemps assise sur les tapis, les jambes croisées. Valentin et Jacques l'attendaient à l'extérieur. Elle aurait voulu les oublier.

Valentin, elle ne parvenait pas à l'atteindre ; pourtant, lui aussi tendait les bras vers elle. On prend un avion, d'un coup de réacteur il vous envoie au ciel ; à l'arrivée, il y a le lieu saint. Comment te rejoindre, Valentin ? Toi, le dévoyé, l'ivrogne et le sorcier.

Elle aurait encore à faire le pas décisif. Avant Montereau, avait-elle dit, et avant Montereau elle avait saisi sa cheville, sa jambe. Il y avait eu les mains, les bras ; mais pour les lèvres, il avait fallu attendre le quai d'Edirne. Le regard de Jacques l'avait fait souffrir. Elle s'était sentie coupable. Jacques, orphelin, criait en silence sur le quai d'Edirne. Il l'avait perdue. On allait faire une annonce au haut-parleur : drame de l'enfance...

Le remords n'allait pas à Claire. Jacques n'avait pas su se défendre ; elle méprisait ceux qui n'ont pas le courage de leur bonheur. Jacques n'était pas parti ; Jacques ne l'avait pas emmenée.

Le soir, quand ils se retrouvaient seuls dans leur chambre, ils étaient des amis de longue date, des étrangers. Jacques n'avait jamais été un amant. Il traînait avec lui plus d'interdits que tous les sanctuaires de la planète. Il craignait la nudité, la sienne, celle des autres. La chair était répugnante.

Comme un moine du Moyen Age, il rêvait de succubes mais son sang ne circulait pas assez vite pour qu'il se laissât tenter par les démones à la bouche goulue. L'amour, ça donne des boutons, avait dû lui enseigner sa mère entre la bouillotte et la tisane.

Il aimait Claire, si c'était aimer que de ne pouvoir se passer d'un être. Quand elle allait faire ses courses au Printemps, il l'attendait dans le bistrot le plus proche en fumant cigarette sur cigarette. Elle sentait son impatience, et elle se hâtait malgré elle. Une heure d'absence, et il craignait que son départ ne fût définitif. Il vivait par elle, se nourrissait d'elle.

Tu m'as affamée, Jacques. Je déteste la chasse, mais dans la forêt on tue quand on veut manger. L'instinct de conservation, Jacques ; rien que l'instinct de conservation.

Une fois dans la cour de la mosquée, Claire ne les rejoignit pas immédiatement. Elle prit le temps de les observer. L'un maigre avec sa chemise rouge, l'autre large tout en blanc. Ils se parlaient, s'écoutaient ; ils n'avaient jamais trouvé de partenaires plus attentifs. Claire pensait parfois qu'il y avait autant de complicité entre eux deux qu'entre elle et Valentin. Pour un peu, elle en aurait été jalouse.

– Prends garde, dit Valentin en apercevant Claire et de manière qu'elle l'entendît. On nous observe, on nous regarde de travers. Mauvais signe.

– De travers ? Alors, aucun danger. Elle regarde toujours bien en face avant de mordre, répondit Jacques.

Puis il ajouta, feignant de s'adresser à Valentin :

– Avec elle jamais de coups bas, seulement des pavés en pleine gueule.

– En effet, dit Claire, je ne sais pas mentir. Même pas à moi-même.

– As-tu fait tes dévotions ? demanda Jacques.

– Je ne sais pas prier non plus, et je me demandais si les gens en éprouvent vraiment le besoin. Je crois que c'est simplement un désir de solitude. Dans les villes surpeuplées, dans les quartiers où l'on s'entasse dans des taudis, on va beaucoup à l'église. J'étais seule ; je vous avais oubliés.

– Elle nous donne notre congé, si je comprends bien, dit Valentin.

– Non, tu comprends mal, affirma Claire. Du reste quand on ose avouer que l'on aime la solitude, les gens comprennent toujours mal.

– Alors, à ce soir, dit Jacques.

– A ce soir, dit Valentin.

Sur la pointe des pieds, ils s'éloignaient. Elle les rattrapa et les prenant chacun par le bras :

– Vous êtes bêtes, dit-elle. C'est pour cela que je vous aime, vous êtes si bêtes !

Elle les embrassa tous les deux sous le regard réprobateur des fidèles occupés à leurs ablutions.

– Tu as lu ? dit Jacques. Pas d'exhibitionnisme outrageant.

Ils prirent un taxi et se firent arrêter dans un petit restaurant dont la terrasse mordait sur les eaux du Bosphore. Quatre Turcs ventrus jouaient aux cartes avec des rires olympiens et des bouches pleines de dents en or.

Ils mangèrent des poissons grillés et des brochettes. Le vin épais provoquait un grand chambardement dans leurs têtes. Valentin parlait de la carrière de Gilles de Rais. Ses orbites creuses où l'alcool faisait naître des éclairs de convoitise, ses lèvres mobiles qui allaient au-devant des mets avec l'avidité des plantes carnivores, semblaient établir sa filiation avec le maître de la pieuse Vendée. Au fur et à mesure de son récit, il devenait le méchant seigneur torturé de désirs, et les petits garçons rendaient l'âme à chaque bouchée, à chaque phrase.

– Tu vises juste, dit Jacques. Claire aime les contes de croque-mitaine.

Valentin continuait à se vautrer dans les détails horribles, et son regard, où le bien et le mal menaient une ronde insensée, embrassait Claire. Pour elle, il se faisait tour à tour ascète aux pieds nus en route vers la terre sainte, et chasseur d'enfants. Son visage, son corps, sa voix, rien en lui ne pouvait être moyen. Il lui fallait poursuivre jusqu'à l'outrance. Et elle marchait dans ses pas, quitte à en être meurtrie ou sauvée. Les grands prophètes n'auraient pas fait moins d'adeptes, s'ils avaient prêché le crime au lieu de la sainteté. Dans la folie, il n'y a pas de loi ; et le magnétisme convainc au-delà du raisonnement. Les parents des victimes de Gilles de Rais s'agenouillèrent lors de son exécution et prièrent pour le repos de son âme.

Claire l'écoutait, et elle voulait le suivre. Qu'importait le chemin, qu'importait qu'elle dût tout abandonner.

Le vin coulait sirupeux et brûlant dans son ventre. Les Turcs criaient des sons gutturaux, et leurs bouches en or brillaient. Un disque poussait son lamento interminable. On buvait ; on buvait encore. En l'honneur de Claire, disait-on. Vingt-six ans ; vingt-six ans, elle avait. Vingt-six ans et l'Asie, vingt-six ans et Valentin. Est-ce l'âge de raison ? demanda Jacques. Ah ! oui, tu vas voir ! Regarde bien ta femme raisonnable. Suis-la des yeux ; ne perds rien du spectacle.

Claire se leva d'un bond ; en trois enjambées, elle fut à la limite de la terrasse et de la mer. Elle s'élança toute vêtue dans les eaux. Elle nagea jusqu'au ponton.

Les Turcs, le bras immobilisé dans le geste de jeter une carte, la bouche en or figée dans un rictus, la regardaient stupéfaits. Jacques réprima une exclamation, se leva brusquement, puis se rassit feignant l'indifférence. Valentin applaudit.

Claire grimpa sur le ponton, tordit ses cheveux, s'étira et essaya en vain de décoller sa robe de ses cuisses et de ses seins. Elle vint les rejoindre parfaitement tranquille et indécente. La conversation reprit sans que l'incident fût évoqué. Quand les Turcs se retournaient vers elle, les yeux comme des boules, elle leur répondait d'un sourire angélique.

Au retour, le dolmus était conduit par un petit jeune homme aux cheveux frisés en houppe et qui retombaient sur son front jusqu'aux sourcils. Il faisait hurler sa radio et Claire, entre Valentin et Jacques, esquissait une bacchanale. On aurait presque pu y danser dans cette vieille berline made in U.S.A. qui faisait le gros dos.

Ils étaient encore plus bruyants que la radio, les trois clients français. Ils tapaient dans leurs mains en mesure ou à contretemps. Ils profitaient de chaque virage pour rouler de bâbord à tribord, et s'écraser les uns contre les autres avec des rires avinés. La petite dame brune, elle n'avait pas froid aux yeux avec ses cheveux de sorcière et sa robe dégoulinante sous laquelle ses seins dessinaient des ventouses. Dans le rétroviseur, il voyait bien ses dents offertes et ses yeux embués d'ivresse.

Quand il fit le plein, il demanda à un livreur d'eaux minérales, qui avait stoppé son engin près du sien, de lui céder une des bouteilles de sa cargaison, et il lui désigna d'un sourire ses trois clients qui chantaient faux et fort. Il tendit la bouteille à la petite dame. Elle en avait sérieusement besoin. Avec sa robe pleine d'auréoles, elle riait comme un démon, elle le remerciait et l'eau ruisselait de ses lèvres à son cou.

Il les laissa à l'embarcadère, non sans leur avoir indiqué par de grands gestes l'endroit où ils devaient prendre leurs billets. Sûrement qu'ils se seraient perdus. Bizarre, leur dame ; mais pas laide, pas laide du tout.

Sur le bateau, les bancs de bois étaient plus tendres que des sofas. Les bordages du pont se faisaient flexibles et respiraient lentement au fil de l'eau. Des hommes bruns à la peau molle convoitaient Claire. Ces regards qui se promenaient sur son corps n'étaient pas des intrus, des caresses plutôt, des caresses innombrables. Elle aurait voulu s'allonger dans le ronflement de la mer et des moteurs. Elle enlaçait Jacques et Valentin, elle les embrassait. Elle avait chaud. Elle était heureuse.

En arrivant à l'hôtel, ils rencontrèrent un couple de Français qui logeait à l'étage au-dessus du leur. Il était critique dramatique et promenait des airs d'ennui et des connaissances encyclopédiques. Elle était rousse et faisait des secrets de tout en parlant derrière sa main comme une écolière.

— Nous venons de nous baigner, chuchota la starlette aux cheveux rouges.

— Tiens, moi aussi, dit Claire dont la robe devenait de minute en minute plus lamentable.

— Ah ! oui, fit l'autre en la regardant de la tête aux pieds.

— C'était mon anniversaire, alors...

— Quelle troupe joue ce soir ? demanda Jacques au monsieur sérieux.

— Les Polonais. Ils donnent *la Cantatrice Chauve*. C'est très bon, mais ils ont eu des ennuis déments avec leurs décors. Les costumes sont restés bloqués à la frontière.

— Ils jouent nus ? demanda Valentin.

— Je ne crois pas. Mais vous savez la Cantatrice se suffit à elle-même...

— Exact, coupa Valentin qui se sentait peu de goût ce jour-là pour les cantatrices.

Claire en profita pour lui glisser à l'oreille : « Je n'irai pas au théâtre. Arrange-toi pour rester. »

— Nous serons prêts dans un quart d'heure, dit le critique en les laissant devant leurs chambres. Nous vous ferons signe en descendant et nous nous rendrons ensemble au théâtre, si vous voulez bien.

— D'accord, dit Jacques.

Claire annonça qu'elle avait mal à la tête et qu'elle se reposerait jusqu'à l'heure du dîner. En effet, elle sentait battre l'alcool dans ses veines, et son crâne lui semblait plus fragile que les fontanelles d'un nouveau-né. Elle entendit de longs conciliabules sur le palier et, cachée derrière les rideaux, elle les vit partir.

Valentin marchait au supplice. Les mains dans le dos, il regardait le bout de ses chaussures et donnait des coups de pieds dans les cailloux. Elle le perdit à l'angle de l'avenue.

Disparu, le grand berger landais ; remis à plus tard, leur amour. Elle alla chercher au bar deux coca-cola et des glaçons. Elle s'allongea et but un peu de fraîcheur. Elle somnolait quand on frappa à la porte.

– Entrez, dit-elle sans bouger.

C'était lui.

– Comment as-tu fait ? demanda-t-elle en se levant d'un bond.

– Je suis parti au début du spectacle. J'ai vaguement dit que je ne me sentais pas bien. Une migraine, quelque chose de ce genre. Je ne sais plus. J'ai couru dans le hall du théâtre, j'avais peur qu'il me rattrape. J'ai eu la chance de trouver tout de suite un taxi.

– Je ne t'espérais plus.

– Il va venir. Je n'ai pas su être convaincant.

– Tant pis, dit-elle. Nous l'avons déjà tué à Edirne.

– Viens dans ma chambre.

Ils fermèrent la porte à clef. Ils s'embrassèrent à pleine bouche. Ils s'affolaient d'être deux.

De tous ces interdits, de tous ces freins, de tous ces ajournements, leur rage allait jaillir. Ils avaient trop tenu la bride haute à leur soif, à leur faim ; et maintenant, ils découvraient leurs peaux. Ils allaient se gaver à l'infini. Sûrement qu'ils en mourraient. Il est sage de nourrir à petite dose ceux qui sont allés jusqu'à l'inanition.

Ils entendirent son pas dans l'escalier. Claire appuya son visage contre le ventre de Valentin. Elle était l'autruche et la terre tremblait sous le sable ;

des hommes à la bonne conscience et aux yeux brillants allaient la lapider. Elle ne voyait rien, elle ne bougeait pas.

La porte fut secouée violemment. Il y eut une grande déchirure au creux de ses reins quand Valentin la quitta et se leva. Tandis que les coups redoublaient, ils prirent le temps de se faire un visage humain. Valentin ouvrit.

Il entra, le corps ramassé comme un boxeur, le regard toujours dissimulé derrière ses lunettes. Il mordait très fort sa cigarette. Il dégorgea un flot de mots en parcourant la chambre à grandes enjambées. Il ne regarda pas Claire, il ne s'adressa pas à elle une seule fois.

Pour Jacques, c'était Valentin le vil séducteur et l'ami parjure. Il voulait oublier que sa femme avait ses désirs, qu'elle était consentante, plus que consentante. Depuis des semaines, elle réclamait Valentin. Il ne voulait rien savoir de cette Claire de vingt-six ans qui osait dire à un homme qui n'était pas son mari : aime-moi, et s'il ne s'agit pas d'amour, prends-moi. Il ne voulait pas la voir, allongée toute raide, le visage fermé, le front plissé sur son entêtement.

C'était lui qu'il invectivait, le suborneur, le traître, l'infidèle. Il avait cru en lui. Il avait su oublier le matin d'Edirne. Un simple coup de folie et de fatigue. Mais Valentin, jour après jour, s'acharnait à détruire une amitié qui aurait été exceptionnelle s'il n'y avait pas eu félonie.

Il évoquait leurs projets communs, l'entente qui aurait pu être, tout ce qui serait né de leur compréhension et que Valentin avait massacré.

Autant que le mari trompé, il était l'ami bafoué ;

et la violence et la plainte brouillaient ses phrases. Il continuait à marcher, à parler. Son monologue ne parvenait pas à trancher le silence de Claire et de Valentin.

Valentin comprenait, baissait la tête ; désespéré pour Jacques, désespéré pour lui-même. Il se taisait. « Mais réponds-moi. Réponds-moi ! Bon Dieu ! » répétait Jacques. Un peu de tristesse dans le regard de Valentin, le poids de la fatalité sur ses épaules. Assis au pied du lit, ses deux grands bras pendaient comme des choses inutiles.

– Tu as été marié trois semaines, et tu te venges en détruisant les autres couples.

Le mariage, le droit de propriété. Tu y crois, Jacques ? Tu le revendiques et tu vas jusqu'à penser que Valentin ait pu être jaloux de ce lien factice. De l'amour peut-être, mais du mariage ? Ce n'est pas le contrat qu'il faut brandir, ce n'est pas de ton livret de famille qu'il faut le souffleter. Tu m'avais émue quand tu criais ton amitié déçue, car toi aussi tu te plais avec Valentin, toi aussi tu as besoin de lui ; tu en as fait ton compagnon et tu voudrais le garder. Alors comment peux-tu si mal le comprendre ? Comment penser qu'il veuille s'en prendre à une institution à laquelle il n'a jamais cru. C'est moi qu'il désire depuis des jours et des jours. Il me désire dans la joie, dans la vie. Il ne veut pas faire souffrir. Il est vierge de rancune et d'aigreur. Il n'a pas envie de lui tordre le cou à ce mariage sans réalité. C'est autour de moi qu'il veut mettre ses grands bras ; c'est sur moi qu'il posera ses mains. Je ne suis pas ton bien ; je suis la femme qu'il souhaite. Il se fout du maire et du curé. Il ne sait qu'une chose : j'ai aujourd'hui la peau salée et il la goûtera.

Jacques s'immobilisa, alluma une cigarette, en mâchonna le filtre et dit :

– Raté ; oui, Valentin, tu n'es qu'un raté.

Voilà, c'était fini pour Jacques.

Il l'avait prononcé ce mot horrible de mépris et de bêtise. Un mot qui résume toutes les haines impuissantes. Valentin avait eu un sursaut. La colère l'avait envahi ; mais il la retint prisonnière. Claire le vit serrer les dents. Il ne répondit pas ; seul son regard trahissait sa rage.

Tais-toi, Valentin ; j'ai honte pour lui. Et toi, Jacques, ouvre ton parapluie, plante un paratonnerre dans ta tonsure, enferme-toi derrière les remparts d'Aurélien, le mot reviendra tôt ou tard se planter entre tes deux yeux.

Tu n'avais pas le droit de le prononcer. C'est le mot fatidique, le mot boomerang. Je le hais ce mot qui fait des autres des détritus, des moins que rien. Jamais, je ne le dirai. J'aurais trop peur qu'il me jette un sort. Jamais je n'oublierai que tu t'en es servi.

Tu en es là. Tu dis : raté, et bientôt tu diras : biques, bougnoules, youpins, ritals, tapettes, sales nègres et mort aux juifs. Tu l'égrèneras le chapelet des médiocres et des impuissants.

Valentin s'est levé. Il a regardé Jacques, puis Claire. Il a hésité un instant comme s'il n'arrivait pas à enjamber tous ces décombres, et il a dit :

– Je retourne au théâtre. Excusez-moi. Je ne savais pas...

– Tu ne savais pas ! Tu arraches les ailes du papillon et tu t'étonnes qu'il ne puisse plus voler.

– Je t'en prie, Jacques, tais-toi. Ou plutôt si, parlez, parlez tous les deux. Je vous laisse.

Jacques resta décontenancé après le départ de Valentin. Sa haine gisait à ses pieds, dégonflée, informe, molle. Il n'était plus là, l'ami déloyal qui lui avait donné un corps, une charpente, une vie. Elle se confondait avec le tapis, elle se contournait en arabesques, elle entrait dans le sol. Elle avait disparu. Valentin était parti.

– Alors, dit-il, que penses-tu faire ?

– Passer la nuit avec Valentin.

Claire savait qu'elle pouvait tout obtenir de Jacques si elle lui jetait sa volonté en plein visage. Il ne supportait pas les phrases directes ; la vérité l'aveuglait. Il plissait les yeux derrière ses lunettes aux verres fumés, titubait, gémissait et mourait. Ce prestidigitateur des nuances et des faux-fuyants battait en retraite dès qu'on osait lui faire face et répéter : je veux. Je veux, quelle indécence !

Claire le foudroyait du regard et déroulait des années de reproches. Elle se tenait droite devant lui avec ses cheveux collés par l'eau de mer et sa peau salée. Jacques n'aimait pas les nourritures fortes.

– Tu plaisantes, dit-il.

– Ai-je l'air ?

– Te rends-tu compte de ce que tu me demandes ?

– Je ne te demande rien. Je dis que je passerai la nuit avec lui.

– Je ne te reconnais plus. Tu es devenue folle.

– Oui, complètement folle. Alors à quoi bon discuter ? On ne raisonne pas les fous. Ils sont inattaquables. Tu savais bien qu'on en arriverait là. Tu nous as observés, guettés. Tu savais que nous étions ensemble et nous savions que tu viendrais. Avoue que la surprise n'a pas été grande.

– Comment oses-tu ?...

– Tu savais aussi que j'oserais tout. Et maintenant, je te demande de retourner au théâtre et de dire à Valentin que je l'attends. Je passerai la nuit avec lui. Rien qu'une nuit. Demain matin, je te retrouverai.

– Et si je n'accepte pas ?

– J'irai le chercher moi-même.

– Tu l'aimes donc tant ?

– Je ne sais pas. Je veux cette nuit.

– Et après ?

– Nous essaierons de vivre.

– Comme avant ?

– Oui, comme avant.

Oui, comme avant. Nous continuerons à être un homme et une femme qui partagent un lit d'un mètre quarante de large pendant cinquante ans et qui y transpirent à longueur de nuit. Nous ferons l'amour pour les fêtes carillonnées et tellement mal que nous renouvellerons de moins en moins souvent l'expérience. D'ailleurs bien des gens vivent sans amour.

Deux sœurs couventines, nous deviendrons, Jacques. Bienheureux les sans cœur, les sans tripes, ceux que l'on dit sages, les trop tôt apaisés, les eaux dormantes. Vienne la mort à la petite semaine et les pays des nuits calmes. Nous aurons tout pour être heureux. Nous aurons la sérénité des gisants de pierre ; côte à côte, Jacques, sans nous regarder, pour toujours.

Déjà, il disait oui. Il était prêt à tous les renoncements pour rafistoler leur couple. Un peu de lâcheté par-ci, un peu de courage par-là. Cahin-caha, on repart. Comme avant, exactement comme avant. Ils sont rares ceux qui disent non ; ceux qui tranchent dans le vif, bien net, bien saignant ; ceux qui jouent pour tout perdre ou tout gagner sans se soucier de préserver l'argent des funérailles.

Quand il fut parti, Claire s'allongea calmement. Elle ne craignit pas une seule seconde que son espoir ne fût déçu. Enfin, elle se détendait. Dans dix minutes, un quart d'heure au pire, il serait là. Elle avait assez combattu. De vive lutte, elle l'avait obtenu son cadeau d'anniversaire.

Elle l'entendit. Viens, pensa-t-elle. Viens, je sais que c'est toi. Comment es-tu, toi que je vais connaître ? Tu entres, tu me regardes. Tu as peine à croire à nous deux. N'aie pas peur. On ne viendra plus nous surprendre, nous séparer.

La porte s'était refermée. Les volets étaient clos. Depuis combien de temps attendaient-ils ce moment ? L'obscurité n'avait pas encore saisi la ville. Istanbul vibrait au loin. Elle vivait assourdie. Toute une nuit ; longue, qu'il faut épuiser ; courte, qu'il faut prolonger.

Il doit faire chaud ; il doit être l'heure de dîner. Ils ne parlent pas encore. Ils se hâtent ; ils sont maladroits et timides. Mais leurs corps sont certains de se trouver. Plus à penser, plus à agir. Laisser faire les mains, les cuisses, les ventres. Il est grand, Valentin ; il nage à l'indienne, le visage posé sur son bras qui se tend.

Un pas dans le couloir. Des gens remuent, passent devant la chambre, respirent au-delà des murs.

A les sentir si proches, Claire et Valentin prennent la mesure de leur isolement. Ils savaient leurs peaux complices ; ils savaient qu'ils pourraient tout exiger. Une nuit est suffisante pour se connaître quand on l'a attendue cinq mille ans.

Ils ne craignent rien. Le chemin de la découverte est long. Il y aura des erreurs, des incidents ; mais ils avanceront. Au matin, ils seront allés très loin, au bout d'eux-mêmes. Toute une vie en une nuit. Quand le jour viendra, ils auront appris qu'ils existent.

Valentin la regarde ; Claire la désireuse, l'insoumise, la vivante. Tu es mince, avec tes petits seins, et tes hanches étroites de déesse asiatique. Avec ta peau tendre et tes muscles. Avec ta bouche plus sous-alimentée que celles de tous les parias du monde. Toi, que je cherche depuis des millénaies dans les dédales des cités pauvres, au fond d'un verre, dans le feu des piments.

Tais-toi, Valentin. Je sais tout. Je crois en toi par mes lèvres, par mes bras, par mon sexe, par ma peau retournée, ma chair à nu. Je suis l'écorchée de ton museum d'histoire naturelle et je colle à toi. Ne dis rien. Ce ne serait pas assez. Les mots sont trop vieux pour s'accorder à notre première fois. Les femmes qui bondissent d'amour en amour s'inventent à chaque lit une première fois. Moi, je n'invente pas Valentin. C'est la grande première. Sois patient, Valentin, nous avons une longue nuit pour faire des progrès. Nous sommes des Bédouins ; devant nous vingt années, une nuit, pour boire une à une les eaux de toutes les oasis.

Elle avait le regard en friche, des yeux de nouveau continent. Il abordait sans surprise ; elle était celle qu'il espérait ; celle qu'il avait déjà possédée en rêve, autrefois ; celle qu'il trouverait demain. La chambre s'ouvrait sur le large. Il était l'explorateur ; elle était son Orient, son Vendredi fidèle, son esclave affranchie et sa maîtresse. Tour à tour, l'onde et le récif, l'offrande et la prière.

– Qui êtes-vous, Claire Vaneau ? demanda-t-il.

Claire Vaneau, c'était son nom avant ; avant la mairie dans la banlieue lyonnaise. Claire Vaneau, elle l'avait crue morte. On l'avait enterrée vivante comme une vestale débauchée de l'Empire romain. Mais elle avait retenu sa respiration. Elle avait été si sage pendant trois ans qu'elle était pardonnée, miraculée. La vie lui était rendue.

– Chut, dit-elle, un doigt sur les lèvres de Valentin.

Et merci ; merci surtout de me rendre à moi-même. Tu es mon anniversaire d'autrefois. Je me retrouve, je remonte le temps. Toute une nuit pour que je me déforme à ta forme. Je suis ta ville ouverte.

Un peu plus tard, il lui demanda encore :

– Qui êtes-vous, Claire Vaneau ?

Alors elle essaya de lui raconter ce qu'avait été Claire Vaneau ; celle d'avant, celle qui avait eu trois ans pour se taire et prendre son élan, celle qui revenait en force.

Claire Vaneau, elle avait toujours dit : tout ou rien, mais elle restait sur sa fringale. Elle voulait brûler et elle demeurait tiède. Elle n'avait pas su devenir femme. Alors, lasse d'espérer, un jour elle avait décidé que le plaisir n'existait que dans l'imagination des êtres ; et elle s'était crue lucide.

Elle lui dit qu'à l'âge de six ans, Claire Vaneau

s'était sentie mourir. Toute une saison, elle était restée au lit. A son chevet, il y avait un bocal avec des têtards. Chaque nuit, un têtard succombait. Elle pensait que son tour viendrait quand ils auraient tous disparu. Enfin, un matin, il y avait eu du soleil, elle avait pu se lever. On lui avait réappris à marcher. Elle était allée dans le jardin. Elle n'en croyait pas ses yeux. Il y avait des maïs plus grands qu'elle et des citrouilles de contes de fées. Cinq ans plus tard, au catéchisme, on lui avait fait dessiner le paradis terrestre ; elle avait peint une énorme citrouille dans un champ de maïs. La bonne sœur avait dit que cette petite était décidément trop réaliste.

Elle lui dit combien Claire Vaneau aimait la vie, les jonquilles à la fin de l'hiver, et la mer toujours. Elle riait et il aimait l'entendre rire. Il leur semblait que personne n'avait pu rire comme ils le faisaient. Leurs rires, ils les croyaient uniques, venus d'ailleurs, venus du fond des âges. Ils ne savaient pas qu'ils ressemblaient à tous les rires éclatés à la naissance inattendue de l'amour.

Ils s'émerveillaient. Ils étaient un homme et une femme qui savaient rire : quelle découverte !

Le muezzin leur apprit que la nuit allait avoir une fin, et ils ne dormirent pas de peur d'en perdre une minute. C'était l'unique ; ils se le répétaient, ils le croyaient.

Chaque étreinte menacée par le temps devenait plus intense, et chaque baiser ultime. Peu à peu l'angoisse les faisait se serrer l'un contre l'autre et ils ne cherchaient pas à la chasser. Le jamais plus les tenait en éveil.

Dans quelques heures, ils se quitteraient. Et

l'anémone de mer s'acharnait à faire prisonnier l'hippocampe. Elle débondait son corps où il s'insinuait toujours plus loin. Elle aurait voulu qu'il lui infligeât sa marque, qu'elle pût garder de cette nuit un souvenir tangible qui lui aurait permis de dire longtemps après : non, je n'ai pas rêvé.

Une nuit, une seule nuit. Belle pour toujours, indestructible. Claire qui détestait les amulettes, les fétiches, les photos jaunies, les preuves de ce qui avait été, pour la première fois craignait que sa mémoire ne fût défaillante. Elle voulait engluer Valentin au creux d'elle. Elle voulait avoir les yeux cernés et la chair meurtrie, lourde, irriguée de bonheur, battant le gong de son plaisir. Alors, après avoir achevé cette nuit, elle irait au grand soleil avec lui en elle, plus fière que la femme dont le ventre porte un fils de roi, et la mort n'existerait plus.

– Qui êtes-vous, Claire Vaneau ?

Sa voix avait changé. Déjà, il le lui criait de loin. Un adieu presque. Il voulait qu'elle se retourne, qu'elle lui envoie son dernier grand rire venu de ces contrées torrides où il avait couru à en perdre le souffle.

Maintenant il l'embrassait tendrement, il n'avait plus envie de la violenter. Des baisers d'oiseau, disait-il, et en effet c'était doux et tiède comme un plumage sous lequel bat bien calmement un petit cœur de perruche ; ça sent la confiance et la vie fragile. De ces baisers, il en déposait partout à fleur de peau.

Elle avait cru tout tenir en une nuit, et elle comprenait qu'il lui manquait encore beaucoup. La tendresse par exemple ; ils n'avaient pas eu assez de temps pour la tendresse. Elle arrivait avec le jour. Trop tard. La tendresse est une vague de fond qui ne peut déferler que sur des corps apaisés et les leurs ne l'étaient pas encore.

A huit heures précises, Jacques frappa à la porte. C'était le signal. Il n'y avait pas à demander une minute de plus ; Jacques l'attendait dans la chambre à côté. Elle serait exacte. Elle se leva, s'habilla en silence. Elle ouvrit les volets ; la lumière était violente sur les toits et les minarets. C'était un jour comme les autres, avec sa chaleur, son bruit et les odeurs de thé qui montaient des cuisines. On marchait dans les rues en toute sécurité. Les tremblements de terre ont toujours lieu ailleurs. S'il n'y avait pas de journaux, les cataclysmes n'existeraient même pas. On jetait des seaux d'eau sur les trottoirs pour vaincre la poussière. Les villes les plus étouffées par leur passé arrivent à secouer leurs oripeaux le matin. Ils se regardaient sans un geste, sans un mot. Elle partait. Il n'y avait plus rien à dire. Au revoir, adieu ? Non, surtout pas. Ils auraient pu constater simplement : c'était bien. Mais l'évidence se passe de mots ; et toute une nuit, ils s'étaient aimés sans ressentir le besoin d'en faire des phrases.

Il y aurait de la confiture de roses au petit déjeuner. C'est poisseux et tellement doux, un merveilleux onguent. On devrait appliquer de la confiture de roses sur les blessures.

C'était fini. J'aime les choses sans fin, avait-il dit une fois.

Jacques raconta à Claire qu'il avait marché toute la nuit dans la ville. Elle ne répondait rien. Assise face à lui, le corps rompu, elle avait un regard de somnambule et elle ne paraissait même pas effrayée de retrouver son mari après cette nuit avec Valentin. A Edirne, elle avait souffert et tout depuis ne lui semblait que la conséquence de ce moment-là.

Elle était envahie d'une étrange atonie qui la rendait indifférente aux êtres et aux choses. Une heure plus tôt, elle avait aperçu le matin d'Istanbul, il était fait de couleurs vives ; maintenant, elle ne voyait plus rien. Elle mangeait de la confiture de roses à la petite cuillère ; à peine sur sa langue, la chose gluante dégoulinait vers sa gorge comme une bave dont le goût doucereux l'emplissait jusqu'à la nausée.

Jacques disait qu'à la nuit les parcs de Taksim abritent les accouplements de jeunes Turcs et d'étrangers aux poches pleines de devises. Chaque pelouse est un lit, chaque bosquet un repaire. Dans les taxis, les prostituées ouvrent leurs cuisses aux hommes de passage, et les badauds penchés aux portières regardent et payent leur écot pour le spectacle.

Jacques, le pudique, étalait à n'en plus finir les vices d'Istanbul comme si chaque gamin à l'œil racoleur, chaque lord anglais exploitant la détresse des pauvres, chaque fille écartelée en public, devenait Claire. Elle avait participé à ce rut collectif qui, le soir venu, fait qu'Istanbul se souvient de Byzance et fornique jusqu'à l'aube dans la poussière et la chaleur.

Jacques ne cesserait donc jamais de l'attaquer par la bande et de prendre l'univers à témoin. Il travestissait la vie pour ne pas l'affronter.

Claire aurait préféré les insultes, la colère. Les sociétés primitives n'étaient jamais à court de violence pour châtier les femmes fautives. C'était absurde, mais les rôles étaient distribués ; on savait qui était l'ennemi, on pouvait envisager une riposte. Tandis que Jacques attribuait un pouvoir magique aux mots, et il pensait stigmatiser Claire par son évocation de la ville corrompue.

Il avait dû marcher longtemps ; son visage s'amollissait de fatigue, et sans doute avait-il voulu fuir l'hôtel où Valentin et Claire étaient trop vivants. Mais au cours de sa longue promenade, avait-il osé ouvrir les yeux sur les bosquets où grouillaient des formes humaines ? Et même s'il avait cru voir, n'était-il pas affligé de cette sorte d'astigmatisme qui ne le faisait percevoir que des images étrangement gauchies ?

Claire comprenait que la journée allait être interminable sans Valentin. Elle le fut. Il y avait bien toujours une flottille grouillante sur les eaux, toujours des piments que l'on croquait debout dans des bars aux dalles couvertes de sciure, toujours des conférenciers à l'université qui exposaient à longueur de journées les recherches dramatiques de leur pays ; mais tout cela se déroulait derrière une vitre. Elle n'avait pas envie de s'y écraser le nez et d'ouvrir de grands yeux. Elle restait à distance, repliée sur la souffrance de sa chair arrachée à celle de Valentin.

Elle se disait : il y a trois heures, quatre heures, il était en moi ; et elle flairait ces réminiscences qui avaient la merveilleuse odeur du plaisir. Elle apprenait que chaque instant sans lui serait un instant à jamais perdu et elle se révoltait contre ce monstrueux gâchis. Comment se résigner à perdre la vie, quand on la connaît, quand on vient juste de la rencontrer ?

Elle épelait : un seul être vous manque et tout est dépeuplé ; et elle se souvenait de Mme Lamury, son professeur de français, qui disait : « Victor Hugo, ça fait boumboum ; Lamartine, ça fait gnangnan. » Aujourd'hui, ça ne faisait pas gnangnan du tout, mais mal.

Elle le cherchait, Valentin ; elle entraînait Jacques dans une marche impitoyable à travers la ville où elle le savait présent. Prenons cette rue, non il n'y est pas ; celle-ci alors ; traversons cette place avec son jet d'eau tari ; entrons dans ce bar où l'on sert un thé au goût de haschisch ; perdons-nous dans le bazar, il doit y rôder.

Elle essayait de deviner au loin un grand homme maigre, vêtu d'un jean ocre et d'une chemise éclatante.

Ils allèrent visiter la Mosquée Bleue. Avant de le quitter, elle lui avait dit qu'ils s'y rendraient dans l'après-midi. Bien sûr, il devait l'y attendre, dissimulé derrière une des colonnes de granit. Il la regardait pénétrer dans la cour à portiques. Il la suivait dans la vaste salle où éclatait la douceur bleutée des faïences. Il se cachait dans la loge impériale. De là-haut, son regard s'emparait d'elle ; il galopait à son secours ainsi que les sultans entrant à cheval dans le lieu saint.

A cinq heures, ils rejoignirent le théâtre. La troupe yougoslave jouait la pièce d'Arrabal, *Fando et Lis*. Une très jeune comédienne, toute menue et radieuse, donnait un cruel éclat au personnage de Lis, adolescente aux jambes paralysées que Fando pousse dans une voiture d'enfant, qu'il aime et qu'il torture jusqu'à la mort.

Claire entendait dans une langue indéchiffrable les mots qu'elle connaissait : « Lis, moi je me souviendrai de toi et j'irai te voir au cimetière avec une fleur et un chien. »

Valentin était assis trois rangs devant eux. Elle ne put l'approcher que lorsque la foule s'écoula vers la sortie, après l'agonie de la petite fille innocente. Valentin lui tendit le programme. Quand elle l'ouvrit, elle lut :

« Anémone, tu me manques Bon Dieu ! »

Le message était signé de la même petite fleur que Jacques avait trouvée sous l'essuie-glace de leur voiture, à peine deux mois auparavant.

Claire et Valentin passèrent trois jours à se poursuivre, à se savoir proches, à en chercher des preuves.

Ils s'apercevaient au théâtre ; parfois, ils dînaient tous trois ensemble, et les jambes de Claire et Valentin se mêlaient sous la table, se serraient à en crier tandis qu'ils avalaient goulûment des viandes épicées.

A la nuit, quand Claire accompagnée de Jacques pénétrait dans l'amphithéâtre ouvert sur le Bosphore, un surprenant instinct lui faisait aussitôt découvrir dans la cohue des gradins, le lieu où Valentin, volontairement arrivé en avance, l'attendait. Elle se laissait aimanter par lui ; et, comme un voilier qui a trouvé son vent, elle glissait dans sa direction, entraînant Jacques dans son sillage. Les journées s'achevaient immanquablement par ces retrouvailles de la nuit, dans l'ivresse des musiques éclatées en plein ciel.

Assis côte à côte, il leur fallait se toucher, entrer en contact, quelque part, n'importe où. Deux mains qui se frôlent, deux cuisses qui deviennent complices, deux corps qui s'épaulent. Ce point de jonction établissait de l'un à l'autre une sorte de continuité, de communion diffuse et intime. La vie circulait de nouveau. Ils en oubliaient la journée poisseuse dans laquelle ils avaient traîné leur solitude.

Le quatrième jour, à cinq heures de l'après-midi, dans la salle vieillotte aux velours ternis, un hasard un peu délibéré les fit s'asseoir à la même rangée de fauteuils. Sur scène des mimes en collants noirs refaisaient le monde à l'aide du langage international des corps.

A l'entracte, Jacques s'absenta un instant laissant son appareil photo sur son siège. A peine fut-il disparu que Claire et Valentin se regardèrent, se rejoignirent et sans se consulter prirent la fuite.

Se tenant par la main, ils traversèrent la salle dans la direction d'une petite porte surmontée de l'inscription : issue de secours. Avant de la franchir, ils se retournèrent et virent parmi les fauteuils vides, l'appareil photo de Jacques, abandonné et inutile. Ils le regardèrent mais ils n'allèrent pas jusqu'à s'en attendrir. Reprenant leur course, ils eurent à traverser des coulisses qui sentaient le renfermé. Ils étaient certains de ne pas se heurter à Jacques, pourtant ils ne ralentissaient pas leur marche.

Enfin, ils se trouvèrent à l'air libre, et ils coururent encore dans une ruelle où des gamins se disputaient des oranges pourries, trouvées dans une poubelle. Essoufflés, ils entrèrent dans un jardin où l'on servait le thé à l'ombre des parasols. Ils s'assirent à une table, du rire plein les yeux.

– Je n'en peux plus, dit Claire.

– Qu'allons-nous faire ?

– Je ne sais pas. Il faut attendre Paris pour prendre une décision.

– Tu es prête à tout ? interrogea Valentin avec une légère inquiétude.

– Je suis prête à tout, répondit Claire calmement. Et Françoise ?

– Il faudra que je lui explique en rentrant.

– A elle, j'aurais voulu faire le moins de mal possible, dit Claire.

– Oui, bien sûr, approuva Valentin.

Il eut un geste brusque comme pour chasser cette pensée, et il ajouta :

– A Jacques aussi, j'aurais bien voulu... Et il n'acheva pas sa phrase.

– La mine qu'il a dû faire en retrouvant son appareil photo ! s'exclama Claire.

Ils rirent un peu trop fort. La nervosité se mêlait à la volonté acharnée d'aller jusqu'au bout. Claire se souvint que, petite fille, elle avait été prise d'un fou rire pendant l'enterrement d'une de ses tantes. C'était son premier mort.

Ils attendirent Jacques à la sortie du théâtre.

– La chaleur était suffocante dans la salle, dit Claire en mordillant sa lèvre inférieure, le regard provoquant. Nous sommes allés prendre l'air.

– Oui suffocante, répéta Jacques en serrant les dents sur sa rage.

Un peu plus tard, alors qu'ils se promenaient dans la ville, ils passèrent devant l'étalage d'un marchand de cartes postales.

– Tiens, dit Jacques d'un ton acide, nous devrions envoyer de nos nouvelles à Françoise. Sans doute, serait-elle contente d'apprendre comment nous vivons.

Claire et Valentin s'abstinrent de répondre.

Cette nuit-là, Jacques voulut se glisser dans le lit de Claire, près de ce corps qui lui était devenu étranger et qu'il n'avait jamais vraiment possédé.

Claire le vit se lever, puis, debout au milieu de la pièce, hésiter avant de s'approcher d'elle. L'enseigne lumineuse de l'hôtel clignotait, et, à intervalles réguliers, éclaboussait la chambre d'une lumière rouge obsédante.

Elle voyait ses yeux d'un bleu incertain, son visage assez beau auquel la lassitude donnait un contour mou, sa légère corpulence. L'éclairage lancinant rosissait sa chair pour une fois débarrassée de vêtements et la rendait effroyablement impudique.

Quand il souleva le drap et voulut se glisser près du corps nu de Claire, quand elle sentit sa tiédeur, quand elle reconnut son odeur, elle ne put réprimer un cri. Elle se leva prise de panique à la seule idée de devoir mimer les gestes de l'amour, de lui mentir et de tromper Valentin.

Elle saisit au hasard un grand peignoir blanc en tissu-éponge, en enfila juste les manches ; et, sans avoir pris le temps de le boutonner, se précipita hors de la chambre et se réfugia dans celle de Valentin.

Il laissa tomber son livre en la voyant. Il l'interrogea ; elle ne voulut rien raconter. Elle dit simplement :

– Tu vois, je suis là.

Le peignoir glissa sur le tapis rouge. Elle s'allongea de tout son long sur le grand corps maigre de Valentin, et elle plongea en lui comme elle avait plongé dans le Bosphore.

Un soir, en fin d'après-midi, on reprit le train. Le festival s'était achevé deux jours plus tôt. On avait dansé une bonne partie de la nuit dans une boîte aux multiples salles en enfilade. Les délégations de tous les pays s'y étaient installées, mais le bouquet final n'avait pas explosé comme on l'avait espéré ; la fusion totale ne s'était pas produite.

Les représentants des pays de l'Est et plus particulièrement les Russes et les Hongrois étaient restés entre eux sans qu'on pût déterminer si cet isolement était dû aux barrières linguistiques ou simplement à une indifférence, peut-être naturelle, peut-être imposée.

Valentin avait tenté de forcer la frontière en invitant à danser une petite Hongroise aux joues roses. Il se souvenait des quelques mots que sa mère lui avait appris dans son enfance ; mais cette Hongrie était vieille de plus de trente ans.

La petite kislámy ouvrit de grands yeux bleus interrogateurs quand Valentin, avec son audace maladroite, s'adressa à elle. Elle regarda ses amis comme pour les prier de venir à son secours. Un de ses compagnons se leva, s'approcha de Valentin et lui parla dans un anglais hésitant. Valentin crut comprendre qu'elle ne pouvait accepter cette danse parce qu'elle était fiancée. Valentin eut beau répliquer que, fiancée ou pas, les jambes n'en étaient pas moins capables de marquer le rythme, la petite bonne femme au corsage brodé lui sourit gentiment mais ne quitta pas son fauteuil.

A plusieurs reprises dans la soirée, le même manège eut lieu. Chaque fois qu'un étranger s'approchait, un jeune Magyar se levait pour défendre les petites jeunes filles sages.

Claire jeta sans succès des regards en direction d'un grand blond soviétique. Il semblait plus fait pour les prairies sans bornes et la conduite des tracteurs que pour cette salle enfumée aux musiques électroniques. Elle croisa plusieurs fois ses yeux bleus légèrement relevés vers les tempes, il esquissa un sourire ; mais elle ne put faire que l'échange allât plus loin.

Valentin et Claire déclarèrent forfaits.

Faute d'avoir pu franchir la ligne de démarcation, ils se lancèrent ensemble sur la piste avec une frénésie qui leur rappela qu'ils n'avaient pas épuisé tous les plaisirs et qu'il n'était pas nécessaire de s'embarquer pour des contrées lointaines. Leur voyage à deux commençait tout juste.

Jacques n'avait pas su les arrêter à temps ; maintenant, il n'y pouvait plus rien. A peine se servait-il encore de ces formules à double sens qui étaient sa seule riposte. Derrière ses verres fumés, il les regardait vivre ; et ils lui paraissaient plus exotiques que les participants du festival, plus étranges que les langues qui s'y parlaient.

Il ne s'acharnait plus à les séparer. Simplement il leur imposait sa présence. Il se voulait avec eux, entre eux ; même s'il n'était pas désiré, même si on l'ignorait, même si on le broyait, il se maintiendrait là. Peut-être pour sentir se propager dans son corps cette souffrance qui lui prouvait qu'il n'était pas mort, peut-être pour être éclaboussé de cette vie qui jaillissait au contact de Claire et de Valentin et dont les retombées parvenaient jusqu'à lui.

Tant pis pour la douleur ; devant lui se déroulait un spectacle dont il n'était pas un protagoniste, auquel il ne participait pas tout à fait, mais qu'il pouvait du moins regarder. Il s'interrogeait en admirant l'audace et l'impudeur du couple. Était-ce une tragédie ? Était-ce une comédie ? Peu importait, il ne voulait pas en perdre une scène. C'était une vraie histoire et qu'il n'en fût pas complètement exclu lui suffisait.

Pourtant, dans un sursaut d'énergie, il éprouva le besoin de rappeler son existence à Claire. Il la fit danser sur ces rythmes lents qui pleurent d'ennui et servent de prétexte à s'emparer d'un corps et à le sentir bouger imperceptiblement contre soi.

Claire dut se laisser emprisonner par la mollesse de la cadence et les bras de son mari. Elle attendait la fin du morceau comme une délivrance, mais le chanteur s'entêtait à susurrer en anglais des mots d'amour ; le disque rayé marmonnait à n'en plus finir la même phrase langoureuse. Enfin, on se décida à l'interrompre et une musique fauve envahit la piste.

Jacques ne savait pas s'accorder aux rythmes rapides. Il alla s'asseoir, tandis que Claire continuait seule à s'agiter, les cheveux dénoués, le visage ravi. Valentin ne put s'empêcher de la rejoindre.

Sans se toucher, le regard noyé dans ce corps à corps à distance, ils allèrent jusqu'à l'épuisement. La musique, la salle, leurs cœurs, tout battait de plus en plus vite ; tout se fondait en un seul muscle qui se contractait, rouge, irrigué de sang, pris de convulsions.

Quand ils revinrent s'asseoir, le front luisant, Jacques leur dit qu'au moment où ils avaient tous trois quitté la table, on lui avait volé ses lunettes. Ils cherchèrent en vain sous les fauteuils et les tabourets ; Jacques semblait bien avoir perdu ses yeux.

Le lendemain, Jacques acheta de grosses lunettes à monture noire. Les verres en étaient encore un peu plus foncés que les précédents. Sa vue n'était corrigée qu'imparfaitement, mais il fallait faire au plus vite pour remplacer cet accessoire devenu aussi indispensable que les cigarettes.

En faisant les valises, Claire retrouva les lunettes volées dans la poche d'un pantalon. Elle ne dit rien. Elle comprit que Jacques avait simulé cette perte pour attirer leur attention. Elle se tut. Cette fois, elle n'eut pas le désir de le confronter à son mensonge. Elle ne jouait plus. Elle avait pris trop d'avance ; elle était trop loin, trop gagnante.

Elle pensa que la compétition et tous les combats lui avaient toujours déplu. Un sentiment gênant, qui avait le goût détestable de la pitié, l'envahit.

Ce train de retour était bien différent de celui qu'ils avaient pris quinze jours plus tôt. Peu de monde ; ils furent maîtres de leur compartiment sur la plus grande partie du trajet.

Ils connaissaient les pièges du parcours et s'étaient munis des provisions nécessaires pour trois jours et trois nuits. Mais surtout les choses étaient devenus nettes. Claire et Valentin ne vivaient plus ce dédoublement nocturne qui les avait fait d'une part se chercher avec avidité, d'autre part guetter la respiration de Jacques et s'interroger sur son attitude.

Ils étaient calmes, comme si ce temps d'entre deux frontières leur était donné en plus. Une année bissextile qui offrait cinquante-huit heures pour réparer le désordre d'on ne savait quelle horloge qui avait rompu l'harmonie céleste. Les passions, les colères étaient suspendues. On faisait retraite ; une fois à Paris, il faudrait choisir. Le train traversait la nuit. Qu'adviendra-t-il de nous ? pensaient-ils.

Nuits d'une étrange pudeur ; nuits de silence avant d'affronter l'événement. Claire songeait aux jours de recueillement qui avaient précédé sa première communion. Elle allait recevoir le Christ, cette potion magique toute semblable aux bouillies que l'on fait ingurgiter aux malades avant une radio de l'estomac. Il descendrait à l'intérieur d'elle ; il y aurait une longue traînée lumineuse. Elle avait voulu jeûner afin d'être propre et de le mieux accueillir. Elle l'avait tant espéré que, lorsqu'elle sentit la chose fade sur sa langue, elle crut que le miracle avait eu lieu. Comment après, tout cela avait-il pu se dégrader ? Rien ; il n'en était rien resté.

On devait être déjà en Yougoslavie. Il faisait tout à fait jour et il pleuvait. Depuis le temps, ils avaient presque oublié la pluie. Ils eurent le sentiment que les vacances mouraient. Essoufflée, la chaleur marquait le pas.

– C'est sérieux, toi et Claire ? interrogea Jacques.

– Oui, je crois.

Cette habitude qu'ils avaient de se parler et de la mettre en cause comme si elle n'était pas là. Était-ce cela, ces conversations d'hommes dont on faisait si grand cas ? Elle jouait les silencieuses et écoutait.

– Que comptes-tu faire ? dit Jacques.

– Je ne sais pas. Je ne suis pas seul.

– En effet, tu n'es pas seul.

– Et puis, il faudrait aussi demander l'avis de Claire, ajouta Valentin.

Elle ne répondit pas.

– La salope, c'est de nous trois celle qui s'en sortira le mieux, dit alors Valentin.

L'insulte lui fit l'effet d'un compliment. Bien sûr, qu'elle s'en sortirait. Et pourtant, elle en voulut à Valentin de l'avoir dissociée de lui. La durée existait donc ; elle aurait prise sur eux puisqu'il envisageait déjà un après.

– Je ne m'en fais pas pour elle, conclut Jacques.

Voilà, les rôles étaient distribués. Elle serait celle pour qui on ne tremble pas : la forte, la solide, le bulldozer qui déblaie tout sur son passage et qui poursuit sa route selon une ligne droite inexorable.

Elle le connaissait cet emploi ; il avait toujours été le sien. Parfois, il lui venait l'envie de dire « pouce ! », juste le temps de reprendre souffle. Mais on ne croyait pas qu'elle pût être fatiguée. Elle-même n'avait jamais réussi à dire : « Je suis malheureuse comme les pierres » sans que son regard démentît sa plainte. Et puis les pierres, personne n'ignore qu'elles sont insensibles.

La seconde nuit, il avait continué son interrogatoire : Qui êtes-vous Claire Vaneau ? Elle essayait de répondre. Peu à peu en la décrivant, sa vie passée devenait cohérente, comme si insensiblement les pièces du puzzle se rapprochaient et s'apprêtaient à se fondre en un ensemble.

Auparavant cette matière lui avait paru discontinue. Chaque expérience avait été suivie d'une rupture. Il y avait des périodes dans sa vie et elles demeuraient toutes indépendantes les unes des autres. Elle pensait souvent que les événements glissaient sur elle comme l'eau sur les plumes du canard. Puis, le mariage l'avait enfermée dans sa solitude ; elle avait tout renié, elle s'était reniée.

Valentin la forçait à reconstituer cette histoire qui soudain perdait sa gratuité. Il l'attendait au bout de ce récit et il n'y avait plus de points de suspensions, de ratures, de parenthèses ni de fuites. Sa vie se tendait tout entière vers le merveilleux « maintenant ». Maintenant les réunissait et les erreurs passées devenaient positives puisque nécessaires.

Elle s'était sentie très calme d'être de nouveau Claire Vaneau ; plus calme encore quand il lui avait demandé :

– De quoi Claire Vaneau a-t-elle peur ?

– De la mort, avait-elle répondu.

Alors il lui avait dit qu'elle ne devait pas. Quand il serait mort, il viendrait lui chuchoter à l'oreille :

– Dépêche-toi de nous rejoindre ; avec les copains, on t'attend.

– Crois-tu que tu reviendras ?

– Les Hongrois reviennent toujours. Je boirai ton sang et tu me suivras.

– Méfie-toi, avait-elle dit. Je m'appelle Claire, c'est un prénom à effrayer les vampires.

– Alors, nous lutterons.

– Je suis forte.

– Je sais. Le combat en sera d'autant plus intéressant.

Il y eut un soleil pâle sur le Grand Canal. Venise semblait douce dans cet été fléchissant. Ils étaient descendus du train, et, à l'endroit exact où quinze jours plus tôt ils étaient convenus de s'arrêter au retour, Claire ne put contenir son désir :

– Allons chercher les bagages, et restons ici quelques jours.

Valentin et Jacques ne répondaient pas.

– Restons, restons, répéta-t-elle. Et, comme ils se taisaient toujours, elle ajouta :

– Je vous en prie. C'est trop bête de laisser échapper tout ça.

Il n'y avait pas moyen de les sortir de leur mutisme. Elle s'approcha de Jacques, et lui demanda presque suppliante :

– Tu ne veux pas ?

– D'accord, mais à condition que nous restions tous les deux.

– Pourquoi ? interrogea Claire faisant mine de ne pas comprendre. Valentin ne veut pas rester ?

– Si, dit Valentin ; mais à condition que nous restions tous les deux.

A son tour, Claire ne répondit pas. Elle ne laisserait ni Jacques, ni Valentin repartir seul vers Paris. Bien sûr, c'était absurde. Il aurait été si facile de dire : « Oui, Valentin ; arrêtons-nous, nous allons être si heureux. » Sans bien savoir pourquoi, elle pensait de manière presque superstitieuse qu'ils devaient aller jusqu'au bout du voyage tous les trois.

Alors qu'ils avaient cessé de jouer à cache-cache, qu'une séparation était inévitable, que les événements vécus semblaient irréversibles ; alors qu'elle était certaine qu'il n'y avait pas de marche arrière et qu'elle ne souhaitait pas reculer, elle s'accrochait à cette idée abstraite : ils avaient quitté Paris à trois, ils ne pouvaient y revenir qu'à trois. Elle comprenait mal quelle logique imposait à leur aventure cette sorte d'harmonie au-delà des dissensions apparentes, mais elle la subissait.

Elle dut remiser Venise et sa lumière tendre au fond d'elle-même, dans cet endroit secret où séjournent les choses qui auraient pu être et qui n'ont pas été.

Elle remonta dans le train, mécontente des autres, mécontente d'elle. Claire supportait mal de laisser échapper un bonheur. Le moindre sacrifice lui paraissait un outrage à la vie.

Elles étaient longues ces cinquante-huit heures de retour. Les pays défilaient et ils avaient perdu leur importance. Le compartiment était clos. Jacques et Claire avait vécu une année, leur première année, dans le nord de la France. Leurs fenêtres s'entrebâillaient sur un paysage dont la grisaille se reflétait dans les eaux mortes d'un canal. Claire avait peint en vert les vitres afin d'arracher leur appartement à la tristesse.

Aujourd'hui, il ne s'agissait pas de tristesse, mais plutôt d'une indifférence totale aux choses. Les vitres d'elles-mêmes devenaient opaques et ne servaient qu'à renvoyer l'image des trois voyageurs.

Ils étaient discrets ceux qui pénétraient dans le compartiment, qui parfois s'y asseyaient, puis repartaient un peu plus tard avec leurs grosses valises. Des formes sans visages ; ainsi que dans les rêves, on sentait leur présence sans qu'il fût possible de leur attribuer une identité.

Au matin, ils arrivèrent en gare de Lyon. La fatigue avait eu à peine prise sur eux. Simplement, ils avaient l'impression d'une étape parcourue. La boucle était bouclée, mais le retour au point de départ n'était qu'illusoire.

C'était un matin un peu frais ; un ciel doux, une légère brise. Un vrai matin de France. On était juste au confluent du flot des banlieusards et de celui des voyageurs retour de vacances. Des visages bronzés et des visages las.

Parce qu'ils avaient faim, parce qu'ils reculaient l'instant de la séparation, ils prirent un grand crème et des croissants à la dernière terrasse de l'été. Il fallut bien finir par se quitter, il fallut bien devenir sages. Et pourquoi pas adultes ?

# 3

Françoise avait d'abord crié ; ensuite seulement, elle les avait regardés l'un après l'autre comme on regarde ses juges. Valentin, Jacques et Claire étaient silencieux. Alors Françoise s'était écroulée de tout son poids sur le tapis qui avait amorti sa chute, non son cri.

Sa jupe s'était relevée et ses longues jambes étaient apparues dans leurs bas noirs qui tenaient sans jarretelles. Entre le bas et la bordure du slip, également noir, ses cuisses minces étaient pâles. Elle avait caché son visage entre ses mains et hurlé à n'en plus pouvoir. Françoise aux petits yeux craintifs, Françoise l'indulgente, se tordait de douleurs.

La nuit était tombée ; il y avait un dernier relent de chaleur. Les fenêtres ouvraient sur le parc et son décor de vieux cèdres.

Ses larmes commençaient à couler, tandis que ses yeux cherchaient ceux de Claire.

– Tu sais bien, Claire, que tout ça n'est pas vrai.

Puis se tournant vers Valentin :

– C'est moi que tu aimes ; ça ne peut pas être autrement.

Comme Valentin se taisait, elle s'était encore adressée à Claire :

– Dis quelque chose, Claire. Mais dis quelque chose, avait-elle supplié.

Claire n'en pouvait plus. Quand elle avait entendu le cri de Françoise, elle s'était étonnée que ce ne fût pas elle qui l'eût poussé. Un cri sans âge, sans sexe, sans pays. Le rideau déchiré, la vérité et son refus.

Claire se souviendrait longtemps de ce cri. Il est plus facile de tuer à distance qu'à bout portant. Moi, je ; moi, je... Sur le terrain, on fait mauvaise figure. Le sang battait si fort à ses oreilles qu'elle n'entendait presque plus Françoise.

Valentin s'était levé et avait forcé Françoise à en faire autant. Elle se taisait. Ses lunettes avaient roulé sur le tapis et ses petits yeux rougis étaient sans expression.

A l'étage supérieur, la voisine s'était penchée par-dessus la balustrade. « Qu'est-ce qu'il se passe ? » demandait-elle. Claire sursauta : « Rien, rien ; ce n'est rien. » On n'avait jamais entendu gueuler de la sorte dans la nuit calme des résidences de luxe.

Comment Jacques avait-il pu ? Il s'était vengé sur Françoise. L'ami qui lui voulait du bien, l'air compatissant, lui avait asséné une vérité dont elle serait longue à se remettre. Elle avait titubé quand Valentin l'avait conduite à la salle de bains pour lui passer un gant humide sur le visage.

– Je veux rentrer, gémissait-elle.

– Nous rentrons tout de suite, avait répondu Valentin.

Voilà que Valentin disait « nous », et « nous »

c'était Françoise et lui. Il allait la consoler, poser ses mains sur sa chair morte-vive, embrasser sa cuisse nue entre le bas et le slip. Une fois de plus, Claire craignait de perdre Valentin. Mais il s'était approché d'elle, l'avait embrassée avec tendresse, et il avait dit, très doucement, pour elle seule :

– Je t'attends demain matin à neuf heures, au Cluny.

– Bien... bien, avait-elle murmuré.

C'était au Valentin faiseur de miracles qu'elle disait au revoir. Non seulement il ne lui avait pas repris la vie, mais il lui donnait la preuve que rien ne l'arrêterait. Demain, ils chercheraient un appartement ; demain, ils commenceraient à être deux. Deux. Ce n'est pas si facile d'être deux.

– Tu m'en veux ? demanda Jacques de cet air penaud qu'elle connaissait bien.

– Mais non, mais non... Je ne t'en veux pas.

Elle aurait dû dire : je ne t'en veux plus, c'est trop tard. Ne comprenait-il pas qu'elle avait cessé d'être sa mère. Elle ne dirait plus : « C'est mal ; c'est très mal. Aujourd'hui encore, tu m'as menti, et puis tu n'as pas pris ton bain. Si tu continues, je vais sévir ; si tu continues, je vais te priver de moi. »

A présent, Jacques, tu peux faire ce que bon te semble. Je te laisse les grandes pièces pleines de lumière, les reproductions de Miro et de Leonor Fini, la table et les sièges de Knoll, les fleurs naïves des rideaux, la laine grège des tapis et ces trois années conjugales où ma vie s'est défaite. Il a fallu un bon coup d'Orient pour qu'elle brille de nouveau, ma vie décolorée.

Ce matin, Claire avait traversé la banlieue, longé la Seine, éventré Paris. Il faisait beau. A l'automobiliste qui l'insultait, elle avait envoyé un baiser. Son corps réclamait Valentin, et elle roulait vers lui. « Je suis toujours effrayé quand tu approches d'un feu rouge. Tu n'es pas une femme à t'arrêter pour si peu », avait-il dit une fois.

Quand elle était entrée dans le petit studio du sixième étage, Valentin était couché.

– Heureusement que tu es venue. Je m'étais juré de ne bouger que lorsque tu serais là.

Dans l'après-midi, le téléphone avait sonné. A l'autre bout du fil, on avait raccroché. Un quart d'heure plus tard, on frappait à la porte ; ils n'avaient pas ouvert.

– C'est peut-être Françoise, avait dit Claire.

– Non, elle rentre ce soir et son train n'arrive qu'à sept heures.

– Qu'allons-nous faire ?

– Ne crois-tu pas que le temps est venu de prendre une décision ?

– Si, avait approuvé Claire.

– Alors ?

– Je suis prête.

– Moi aussi, avait dit Valentin.

Le téléphone avait sonné de nouveau et personne ne s'était annoncé.

– Je suis sûre que c'est Jacques.

– Où as-tu laissé ta voiture ? Il a dû la voir.

– Devant le cimetière. Ça n'a pas d'importance puisque je dois le quitter.

– Quand ?

– Le plus tôt possible.

– Alors demain.

Ils avaient décidé que Valentin raccompagnerait Claire, et, ensemble, ils annonceraient la nouvelle à

Jacques. Ils étaient émus comme des jeunes mariés un peu timides.

En arrivant à la voiture, ils comprirent que leurs déductions étaient justes. Jacques avait tout découvert et il avait déposé un livre sur la banquette arrière en dédicace : *la Mise à mort* d'Aragon. Il indiquait qu'il s'agissait d'un cadeau pour un anniversaire quelque peu différé.

Claire avait regardé attentivement la couverture pourpre, puis elle avait lu à haute voix la première phrase : « Il l'avait d'abord appelée Madame, et toi le même soir, Aube au matin. »

– C'est beau, avait-elle dit.

En fin d'après-midi, ils avaient annoncé leur décision à Jacques.

– En somme, avait-il répondu, tu me demandes la main de ma femme.

Jacques les avait laissé seuls dans l'appartement. Deux heures plus tard, il était de retour avec Françoise.

Il fallait faire vite. Dans deux jours, la rentrée scolaire. Et puis, il était devenu insupportable pour Claire de partager le lit de Jacques, et pour Valentin celui de Françoise. Dans le mitan du lit, la rivière était profonde et il n'y avait plus de gué.

Un logis. N'importe lequel, disait Valentin pourvu qu'il y eût le téléphone. N'importe où, disait Claire pourvu qu'il y fît chaud. Ils jetèrent leur dévolu sur un petit deux-pièces, au rez-de-chaussée d'une rue calme, dans le quartier des Ternes.

Il y avait le téléphone, mais il y faisait froid ; un

froid empestant le moisi. De vieux meubles, copies de meubles encore plus vieux ; une multitude de bibelots ; une cheminée triste n'ayant jamais connu les grandes flambées ; une cuisine sale, sans chauffage, sortie d'un roman populiste du XIXe siècle ; une baignoire sur pieds où le tartre avait vomi sa bile.

Non, ce n'était pas beau. Mais Valentin lui avait dit à l'oreille : « Je t'aime. Mets-toi ça dans la tête, une fois pour toutes : je t'aime. » Elle s'en doutait bien un peu, pourtant c'était bon qu'il le lui dise sous la pluie de septembre. Le petit appartement n'était plus tout à fait misérable. Sur le tapis délavé, ils se feraient du mal et ils se feraient du bien. Valentin disait aussi qu'il repeindrait les murs, qu'il mettrait des fleurs dans les vases et de la musique partout.

Le lendemain, ils emménagèrent. Ils avaient deux valises, deux caisses de livres, un magnétophone et des disques. Claire plaçait sur une étagère le Lagarde et Michard du XVIIe siècle, quand elle sentit les mains de Valentin sur ses hanches. Les livres scolaires churent, et ils s'aimèrent dans l'intimité des auteurs classiques. Ils n'avaient même pas pris soin de fermer les volets. Un simple rideau jauni les séparait de la rue et des passants.

Trop désireux de faire l'amour, ils avaient abandonné les valises dans le couloir où elles restèrent longtemps. L'appartement s'en fut à vau-l'eau. Il y eut de la musique souvent, des fleurs parfois ; mais les murs demeurèrent avec leur furonculose. La cuisine devint le lieu maudit où l'on ne pénétrait pas sans crainte.

Le soir, Valentin répétait ; le matin, Claire donnait ses cours. Tard, de plus en plus tard, on se dévorait sans prendre le temps de faire des phrases.

Cependant, une nuit, Valentin parla. Il était plus de minuit. Ils avaient répété ensemble. Rachel commençait à exister par le corps de Claire. Elle répondait aux autres comédiens encore un peu timidement. Elle se sentait exclue de ce monde où la bohème a ses règles et son langage.

Elle était fatiguée. Journée longue, longue... ductile à l'infini :

– Neuf heures, Pascal.

– Onze heures, l'homme et la machine.

– Treize heures, cantine du lycée.

– Quatorze heures, salle des professeurs. Cinquante-cinq minutes pour préparer l'explication d'un poème de Verlaine (expliquer, expliquer ! Faut-il expliquer ?) et corriger des dissertations. De l'encre rouge dans la marge et une belle note définitive.

– Quinze heures. Parler, parler encore... La transpiration qui submerge tout, le mutisme des élèves.

– Dix-sept heures : métro. Gorki dans le cœur, la fatigue dans les jambes.

Rachel, je l'apprends ; je l'apprends pour toi. Je sais qu'il faut t'étonner à chaque minute. Si je m'endors un instant, ton regard fuira au loin. Tu m'abandonneras, Valentin.

Pourtant dans l'amour, tu t'accroches à moi comme un noyé, comme un enfant. Tu cries ; tes ongles déchirent ma peau et tu crains de me voir disparaître. Alors, pourquoi, pourquoi est-ce que je te rejoins haletante ? Pourquoi cette traversée de Paris me paraît-elle si incertaine ? De quoi ai-je peur, Valentin ? Quand nous nous retrouvons, nous taisons nos craintes. Nous sommes orgueilleux, Valentin.

Tout au long de la nuit, ton monologue, pour moi, pour toi. Pour nous. Unique respiration. Unique voix.

Tu dis, Valentin, que lorsque tu avais sept ans, tu te cachais dans la cave de ton immeuble, derrière les grilles du soupirail. Tu attendais ta mère. Ses filets à provisions au bout des bras, elle jetait un regard circulaire pour voir si tu n'étais pas encore à te battre avec les gamins du quartier. Tu la regardais te chercher. Elle semblait inquiète ; elle semblait t'aimer.

Tu ne criais pas : je suis là. Tu ne te précipitais pas dans ses bras. Non, du fond de tes sept ans et de l'obscurité, tu lisais dans sa lassitude l'amour qu'elle avait pour toi. Tu savais que si tu avais couru à elle, soudain ses traits se seraient durcis ; et elle t'aurait dit, son regard noir chargé de toutes les misères des émigrés :

– Tu traînes encore, et tu es sale. Quel malheur d'avoir un fils aussi sale !

Il fallait que tu te caches, qu'elle te croie loin, pour que naisse une étincelle de tendresse. Elle avait perdu son pays, et puis son mari deux mois avant ta naissance. La belle famille trop riche avait mis à la porte de son hôtel particulier la petite émigrée hongroise avec son gros ventre et son veuvage. Tant d'humiliations avaient asphyxié sa sensibilité. Elle en était arrivée à craindre que chaque vrai sentiment ne devînt une faute et ne fût puni comme tel. Plus d'amour pour l'émigrée hongroise ; même pas pour son fils.

Ce fils, il la décevait. Il était fantasque. A dix ans, il faisait des fugues et voulait être chef d'orchestre. A quatorze ans, il affirmait qu'il serait comédien. Sûrement qu'à dix-huit, il volerait aux étalages ; et, un soir, elle serait amenée à le récupérer au poste de police.

– Je l'aimais en silence, disait Valentin. Elle m'a appris qu'il faut cacher l'amour si l'on ne veut pas être réduit à merci.

Valentin s'endormit. Claire resta longtemps éveillée. Il ne l'avait pas emmenée dans son rêve ; pourtant il tendait la main vers elle et cherchait sa chaleur. Elle le sentait si proche et si lointain.

Toute une semaine, il s'absenta. Il était allé voir sa mère en province. Le soir, Claire rentrait dans cet appartement qui ne leur ressemblait pas, où Valentin n'avait pas planté un clou, où l'humidité décollait la tapisserie. Les opalines et les lampes de chevet demeuraient aux places qu'elles occupaient lorsqu'ils avaient pris possession des lieux. Une vieille maniaque avait dû les disposer et il n'était pas question de les bouger.

Claire corrigeait des copies ; puis, quand les mots se brouillaient et que Ronsard, Boileau et Zola sombraient pêle-mêle dans les clichés, elle écoutait la voix de Valentin au magnétophone. Il disait *les Pâques à New York*. Il ne connaissait pas Claire lorsqu'il avait enregistré ce poème de Cendrars. Elle plongeait son visage dans ses bras croisés ; elle se disait qu'elle était le petit Valentin de sept ans qui, en cachette, regardait passer sa mère. Elle écoutait aux portes de son enfance.

Sa voix. Comme elle avait craint sa voix, à l'époque où ils n'osaient pas se toucher. Elle priait la voix de Valentin-le-sans-Dieu. La plainte de Cendrars, mystique et charnelle montait dans le froid.

*Seigneur, les humbles femmes qui vous accompagnèrent à [Golgotha,*
*Se cachent. Au fond des bouges, sur d'immondes sophas,*
*Elles sont polluées par la misère des hommes.*
*Des chiens leur ont rongé les os, et dans le rhum*
*Elles cachent leur vice endurci qui s'écaille.*
*Seigneur, quand une de ces femmes me parle, je défaille.*

Dans la nuit, il l'appelait. Le matin même, elle avait reçu une lettre de lui, ou plutôt, un morceau de papier chiffonné. De sa grande écriture désordonnée : Mardi... la nuit... un bar... je cherche une anémone... Des dessins, une fleur contournée. A la fin du message, cette phrase : J'ai envie de boire ton suc, j'ai envie de te faire boire le mien, goutte à goutte, sans fin.

Ils s'étaient disputés quatre jours auparavant. Leur première dispute. Pourquoi ces cris ? Pourquoi avait-elle balayé d'un geste tous les disques posés sur la cheminée ? Un seul s'était brisé : le *Prélude à l'après-midi d'un faune*. Mais un vase s'était renversé et l'eau avait fait se gondoler les pochettes. Edgar Varèse et Mahalia Jackson étaient au bord des larmes. Et Claire donc. Claire pleurait en ramassant un à un les disques. Valentin, silencieux la regardait faire. Avec son mouchoir, elle tamponnait ses yeux, puis épongeait les disques.

– Tu es contente, maintenant !

Elle reniflait. Ce qu'elle était stupide !

– Pourquoi te venger sur eux ? Il désignait les trente-trois tours sur le vieux tapis.

– Parce que tu les aimes.

– Tu n'es bonne qu'à détruire !

Elle avait cessé de pleurer. Face à lui, immobile, le regard dans le sien, le regard froid et brillant comme le soleil sur une lame : « Ce n'est pas vrai », avait-elle hurlé. Puis d'une voix calme, elle avait ajouté :

– Je détruis si on me détruit. Je mords si on me mord.

– Je sais : donnant-donnant, avait-il ironisé.

– Oui, Valentin, donnant-donnant.

Sa voix :

*Seigneur, rien n'a changé depuis que vous n'êtes plus Roi.*

*Le Mal s'est fait une béquille de votre Croix.*

Pourquoi ?

Ce soir-là, il avait dit qu'il rentrerait à dix heures. Il était plus de minuit quand elle avait entendu la clef dans la serrure. Il continuait à travailler chez Françoise. Pour toutes ses activités professionnelles, le téléphone sonnait encore chez elle. Françoise avait accepté la nouvelle situation et Claire lui en voulait presque de ne rien pouvoir lui reprocher.

Valentin n'avait pas justifié son retard. Il avait un texte d'une cinquantaine de pages sous le bras et l'air excité.

– J'ai mon nouveau spectacle, avait-il dit en jetant le polycopié sur la table.

– Tu ne m'en avais pas parlé.

– J'attendais la décision. Françoise est d'accord ; Michel aussi.

– Alors, tout est parfait, avait-elle dit sèchement.

– Ça ne t'intéresse pas ?

– Puisque c'est décidé...

– J'aurais aimé que tu le lises.

– Je ne connais pas grand-chose au théâtre, moi.

– Ne fais pas l'idiote !

– Il faut te faire à cette idée : tu vis avec une idiote.

Il avait haussé les épaules. Sa longue écharpe rouge. Son pull qu'un paysan portugais lui avait offert. Elle aimait enfouir son visage sous ce tricot qui gardait l'odeur du suint et qui imprimait son relief sur sa joue.

– Regarde au moins. Il ne te sautera pas à la figure.

– Y a-t-il un rôle pour moi ?

Pourquoi avait-elle posé cette question ? Parce qu'elle savait que c'était précisément la chose à ne pas demander ? Ou bien parce que son désir de jouer, de travailler avec lui était plus fort que tout ?

– Non, rien qui te convienne. Dans ce cas, je suppose que tu ne vas pas t'abaisser à le lire.

– Mais, si. Je suis capable de m'intéresser à ce que tu fais. Libre à toi d'ignorer ce que j'ai envie de faire.

L'auteur était un ami de Valentin. Elle n'aimait pas tous ces inconnus qui l'approchaient et dont il parlait rarement. Pourquoi taisait-il ses projets, ses espoirs ? Pourquoi ne rêvaient-ils pas ensemble ?

– Ça ne me plaît pas beaucoup.

– Je le savais, avait-il dit en imitant son air faussement détaché. Et peut-on savoir pourquoi ?

– Le style est prétentieux, les idées simplistes. Je préfère une bonne manif ; c'est plus franc, et l'art n'a rien à voir à l'affaire.

– L'art, l'art ! Quand tout le monde bouffera à sa faim, on pourra parler d'art. Tu es bien une intellectuelle !

– Est-ce que ça fait bien l'amour une intellectuelle ?

– Ne mélange pas tout.

– Je sais. Un petit coin pour le boulot ; un petit coin pour l'amour ; un petit coin pour Françoise ; un petit coin pour moi. Et des barrières un peu partout. Ce n'est pas comme ça que je veux vivre !

Elle avait commencé à crier. Mots éclatés sur les lèvres du volcan. Elle avait l'impression de ne pas les choisir. Lui venaient ceux qui faisaient le plus de mal. D'un geste, elle avait balayé les disques et le vase. Étourdie, elle s'était mise à genoux, sous prétexte de réparer les dégâts.

Elle était devant lui. Elle était à genoux. Elle pleurait.

La voix de Valentin :

*Seigneur, je ferme les yeux, et je claque des dents...*
*Je suis trop seul. J'ai froid. Je vous appelle...*

Le petit théâtre près de la maison aux cèdres. Face au public, elle serait Rachel pour la première fois.

Elle avait vu arriver Françoise, une heure avant le début du spectacle. Elle portait une longue cape noire, des bas noirs, un pull et une jupe noirs ; pas une seule vraie couleur. Ses cheveux n'étaient qu'un peu de lumière. Était-ce son visage amaigri qui donnait cette absence à son regard ?

Les photos et les citations de Gorki jaillissaient en rouge dans le hall. Françoise cherchait sa route. Elle allait d'un panneau à l'autre sans rien voir. Les yeux presque fermés, elle tâtonnait. Quand elle tourna le visage vers Claire, ses yeux restèrent aveugles, mais, lentement, sa bouche s'incurva en un sourire fermé. Ses lèvres sans se desserrer tremblèrent un peu. Claire ne sut pas s'il fallait aller vers elle.

Elles se regardaient. A peine Claire eut-elle esquissé un geste dans la direction de Françoise, que celle-ci disparut par la porte donnant accès aux coulisses.

– Vous aurez du monde, lui dit Jacques en arrivant. Nous avons collé des affiches toute la nuit.

– C'est bien de t'en être occupé.

– C'est ce qui avait été décidé.

– Oui, mais c'est bien tout de même.

Ils se parlaient de loin. Il avait fallu cette distance pour qu'ils pussent se croiser chaque jour dans les couloirs du lycée et même déjeuner ensemble, sans rien laisser paraître.

Le regard des collègues était à l'affût. On les avait soupçonnés, deux années durant, d'être un couple uni. Pourtant, quand la nouvelle, venue d'on ne savait où, s'était propagée, réveillant les suspicions, on avait murmuré aux quatre coins de la salle des professeurs : « C'était inévitable » et « J'en étais sûr ». Puis, la rumeur avait pris une inflexion interrogative : ils étaient séparés, on en était certain, alors pourquoi continuaient-ils à fréquenter ensemble le bistrot des élèves, que c'en était indécent ?

On décréta une fois pour toutes que Claire était une petite garce : « il y a un physique qui ne trompe pas » ; et Jacques devint, dans les phrases chuchotées de bouche à oreille, la main en paravent et la voix en perfidie, le « pauvre Jacques ».

– Tu as ce que tu voulais. Jouer, tu voulais jouer.

– Oui, je voulais jouer. J'aimerais te voir après. Tu me diras ce que tu en penses.

– A tout à l'heure, dit Jacques.

Elle n'avait pas eu le temps de déterminer ce qui lui faisait cet air d'homme seul. Les pellicules sur son pull-over ? son col de chemise douteux ?

La voix de Valentin : « Vous pouvez envoyer la bande son. » Prokofiev accueillait les premiers spectateurs. Dans les coulisses, on parlait, on chantait, on se boutonnait dans le dos, on se prêtait des poudres de riz magiques qui donnent de l'éclat sans faire briller.

Claire ne faisait son entrée qu'au second acte. La peur. La peur dans l'attente ; la peur dans le noir. Changement de décor. Valentin tend des accessoires et murmure aux autres comédiens : « Soutenez, soutenez, bon Dieu ! L'acoustique est épouvantable. Ça ne passera pas si vous continuez comme ça. Et puis, plus lentement : le temps qui passe, le temps qui passe ! Mettez-vous ça dans la tête. Allez, Natalia, serre ton chignon et attaque. Attaque, bon Dieu ! »

Natalia, Vassa et Lioudmilla s'évertuaient dans cette atmosphère cotonneuse. Tout était difficile, ce soir. L'ombre inquiétante des coulisses et la résistance de l'air ; les fauteuils qui couinent et la toux des spectateurs. Une scène encore et ce serait à elle. La gorge et le cou rigides, un tampon d'éther sur le nez.

La main de Valentin sur sa nuque. Merde, lui dit-il à l'oreille, et c'est un souhait, un encouragement et un fétiche. Sa main chaude sur son corps tétanisé, sa main des nuits sans sommeil, sa main qui délivre, sa main qui fouille et retourne sa peau, sa main qui ameublit le sol.

Sa main, tout un après-midi, au soleil d'automne, dans une prairie en pente près de Fontainebleau. Le matin, il était revenu de voyage et ils avaient voulu s'aimer à l'air libre. Oubliés les velours sales et l'odeur de moisi. Ils étaient nus dans un lendemain d'été. Un petit avion survolait la région ; il s'était mis à décrire des cercles concentriques au-dessus d'eux. Claire et Valentin poursuivaient leur lutte.

Pourquoi tant d'avidité ? Pourquoi un instant de répit leur semblait-il une faute ? Le temps n'était plus compté. Jacques n'allait pas frapper à la porte, et le regard des aviateurs ne les importunait même pas. Ils s'aimaient sans rémission. Ni l'un, ni l'autre n'aurait consenti à se déclarer vaincu.

« Attention, c'est à toi », chuchota Valentin et la main la poussa violemment. Trois pas, pensa-t-elle et elle fut exacte au rendez-vous des projecteurs.

Un trou de lumière. On lui parlait ; elle allait devoir répondre. Le premier mot jaillirait, haletant, attendu. Comment serait-il ? Que signifierait-il ? Sa sonorité ? Sa couleur ? Son intention ?

Il vint ; ce n'était pas elle qui l'avait prononcé.

Elle écoutait et tout ce que disait Rachel sonnait faux. Son corps participait, son ventre était douloureux, mais les phrases la trahissaient.

Quand elle redevint consciente, elle employa toutes ses forces à trouer le rideau noir de la salle. Quelle que fût son énergie, les mots lui revenaient, affaiblis, plats. Elle essayait de prendre appui sur les autres comédiens, mais elle leur trouvait d'étranges regards. En surimpression, elle voyait, se superposant aux yeux qu'elle leur connaissait, les yeux inquiétants de ceux qu'ils interprétaient. Les deux images coïncidaient mal et sa vision restait floue.

Lorsqu'elle entendit les applaudissements, elle se sentit hors d'haleine et insatisfaite.

Valentin l'encouragea :

– Ne t'en fais pas. Ta voix ne portait pas assez et tu étais un peu crispée, mais ce n'était pas mal.

Jacques lui dit : « C'est pas mal pour un début. »

Pas mal, pas mal. Le pas mal était affreux. Du premier coup, elle aurait voulu exploser sur cette scène de banlieue, devant un public de commerçants et de fonctionnaires sages. Tout ou rien. L'impatience la talonnait. Elle se sentait laide et idiote. Indigne du théâtre, indigne de Valentin. Elle se démaquilla à la hâte, traversa les coulisses, aperçut la silhouette noire de Françoise.

Elle courut jusqu'à la station de taxi. Les dernières lumières du restaurant, où elle allait souvent dîner avec Jacques autrefois, s'éteignaient.

Dans la voiture qui la ramenait à Paris, sa solitude lui parut douce. Elle croisa les mains sur ses genoux. Elle était presque calme.

« Anémone, je rentrerai tard. Je coucherai sur le divan de la salle à manger pour ne pas te réveiller. »

Ils avaient repris l'habitude de ces messages. Un matin, Claire s'aperçut que son billet, déposé la veille au soir, était toujours à la même place. Elle ouvrit lentement la porte de la salle à manger ; personne n'y avait dormi. Elle ne fut pas surprise mais elle eut un peu plus froid. Elle jeta sur ses épaules sa grande cape noire, toute pareille à celle de Françoise, et elle se précipita dans le matin avec ses cahiers et sa misère.

Le théâtre, Françoise, la politique, tout sera bon pour créer des obstacles entre nous. Tu as commencé à te méfier, Valentin, tu n'en finiras pas. Ce matin, devant ce divan vide, je crois bien que je t'ai perdu ; je crois bien que je m'y attendais. Depuis quelque temps, ton regard me parle hongrois ; c'est pour cela que je ne le comprends plus. Valentin, je sens que tu vas être lancinant. Cette habitude que j'ai de te parler, comme une vieille folle se confie à son chat ! Tu vois, il ne faut que quelques semaines pour prendre des habitudes. Cette petite douleur que ton absence m'a faite ce matin, elle va me suivre tout au long de la journée ; elle deviendra une habitude, elle aussi.

Je rêve éveillée dans le métro qui m'emporte, et je suis lourde de ton absence. Une grossesse nerveuse. Mais quand je dors vraiment, je ne te vois pas au fond de l'énorme gouffre noir. Je ne vois rien. Mes dents tombent en poussière ; et, lorsque je veux serrer les mâchoires, ce sont mes gencives nues qui frottent l'une contre l'autre. Elles sont tuméfiées ; le pus suinte, jaune, épais. Le dégoût se mêle au soulagement.

Claire remontait le boulevard en direction du lycée. Heureusement, il y aurait Zoé, la prof de maths dont le rire de gorge était un défi aux bonnes mœurs.

Quinze jours après la rentrée scolaire, elle était arrivée de Bretagne avec ses cols Claudine et ses yeux d'huîtres que l'on n'a pas fait verdir. Au premier conseil de classe, elle s'était assise à côté de Claire et elle lui avait montré des photos prises dans un camp naturiste. Zoé portait l'uniforme du lieu : les jambes croisées en tailleur, elle exhibait un sexe noir qui lui moussait jusqu'au nombril.

Zoé avait été mariée à un homme au regard bleu qui travaillait dans un sous-marin. Chaque fois que son mari faisait surface, le corps de Zoé, par la grâce de ces maladies que l'on dit psychosomatiques, se couvrait de boutons. Et le regard bleu vivait ses permissions au chevet de sa brune en éruption. Elle avait fini par demander le divorce pour raisons sanitaires.

– Quel est ton programme, aujourd'hui ? interrogea Zoé.

– Pascal : l'infiniment grand et l'infiniment petit.

– Et c'est pour ça que tu t'offres cette tête d'outre-tombe ?... Tu leur dis à tes gamines qu'elles n'ont pas besoin de lunettes astronomiques ou de microscopes pour appréhender leurs limites. Moi, chaque jour, j'enrage de n'avoir que deux trous pour jouir. Pas toi ?

De plus en plus souvent, Valentin dormait dans les coulisses des théâtres, ou sur scène dans le grand fauteuil rouge, à côté du samovar refroidi.

– A quoi je sers ? criait Claire.

– Ne recommence pas, je t'en prie.

– Mais si, mais si. Je recommencerai.

– J'ai horreur des disputes.

Il avait égalament horreur des cris, mais Claire donnait le ton ; et, lui aussi, grimpait dans l'aigu. Quand ils eurent épuisé les phrases, ils passèrent aux hurlements ; enfin, ils se battirent. Des gifles et des coups de pieds avec les belles bottes rouges que lui avait offertes Valentin. Claire s'effondra dans la salle de bains. Le visage contre les dalles froides, elle sentit en elle une hémorragie de haine. Elle en avait des réserves insoupçonnables.

Quand elle entendit la porte se refermer, elle se leva soudain ; et, ignorant ses yeux tuméfiés, elle courut à la poursuite de Valentin. Sa 2 CV démarrait ; elle fit de grands signes affolés, espérant qu'il la vît dans le rétroviseur. Elle courut encore le long du trottoir, implora un embouteillage, un feu rouge, un accident. La fatalité ne fut pas sa complice. Elle pensa : le téléphone, il y a encore le téléphone. Valentin n'appela pas.

Elle feuilleta quelques vieux livres auxquels Valentin avait imprimé sa marque. De l'un d'eux glissa un ticket de caisse du Old Navy sur lequel Valentin avait griffonné : j'aime tes seins. Elle regarda la date ; il y avait un peu plus de dix mois qu'il aimait ces seins-là. Ceux de Françoise, bien sûr. Deux gros seins blancs, trop rapprochés, entre lesquels il y avait l'espace d'une rigole et trois gouttes de transpiration.

Joue-t-elle bien à la maman, la cousine germaine ?

Tu es son petit, son enfant. Tu as une odeur de petit lait et de diarrhée du premier âge. Tu te gaves. C'est onctueux, avec un petit goût patelin d'Alexandra, d'œufs au lait et de crème renversée.

Je te déteste, Françoise. Parce qu'il a aimé tes seins. Parce qu'il les aime peut-être encore. Je te déteste, parce que ce soir je voudrais être toi.

Les pièces cliquetaient dans la poche du joueur de mandoline. Claire mangeait ses spaghetti en solitaire. Elle apercevait les fenêtres de leur appartement, là, juste de l'autre côté de la rue. Ce n'était pas encore ce soir que Valentin y ferait jaillir la lumière.

Le joueur de mandoline susurrait Naples. Faute de s'offrir un pays, on peut toujours s'offrir un homme. Elle ferait brûler son angoisse dans les bras d'un autre.

Qui veut de moi ? Je ne vous demande même pas la tendresse ; simplement trente-sept degrés contre ma peau et votre respiration affolée sur ma bouche pour m'empêcher de sombrer dans le coma. Qui me fera la charité ?

Vous, l'homme fatigué qui consultez vos dossiers entre les scampirs et les lasagnes ? Voulez-vous pour une nuit devenir mon poumon d'acier, mon goutte-à-goutte et mon anti-corps ?

Et pourquoi pas vous, le jeune homme tendre au visage de fille et à la coiffure de chérubin ? Vous n'aurez que la rue à traverser. Vous vous étendrez sur le divan que Valentin boude et je vous forcerai à poser votre visage sur le coussin qu'il serre sur sa poitrine quand il dort sans moi. Ma bouche descendra le long de votre corps d'androgyne et vous le mordrez, le coussin de Valentin, tandis que ma bouche vous fera jouir.

Dans l'après-midi, elle avait pris un taxi et elle avait voulu vite, très vite, rejoindre l'appartement dont les larges baies ouvraient sur les jets d'eau et les cèdres. Là, rien n'avait changé. Les fleurs étaient fanées, mais Jacques n'avait pas déplacé un seul meuble. Tout l'attendait, elle le savait ; il le lui avait dit. Il y avait aussi cette photo prise quelques jours avant leur mariage : Claire aux joues rondes, le sourire confiant. Elle avait besoin de parler à Jacques. Il prendrait son air indulgent et il la confesserait.

Le taxi l'avait laissée à l'entrée du parc. Une musique douce s'échappait d'un appartement. Il en suinte de semblables dans les aéroports et dans les ascenseurs des Hilton.

Le froid et l'hiver n'avaient pas accès au lieu protégé. Elle avait suivi la petite allée, puis elle s'était arrêtée à l'endroit précis où l'on découvre, à travers les branches du cèdre, les fenêtres de ce qui avait été leur appartement. Les mêmes rideaux, le divan bleu, le bureau de Jacques. Il n'avait pas menti. Rien n'avait changé. Tout l'attendait.

Pourquoi, à ce moment-là, sa mémoire n'avait-elle pas su trouver dans leur vie commune un seul instant de bonheur qui pût l'aimanter et lui permettre de gravir l'allée jusqu'au bout ? Non, sa mémoire sauvage avait sauté à pieds joints par-dessus Jacques. D'une chiquenaude, elle lui avait mis le nez dans son enfance qui sentait bon.

C'était Louise qui lui plantait trois baisers goulus sur la nuque en répétant : « Clairette, mon petit vin clairet ! » Louise venait faire le ménage chez ses parents, dans la petite maison des Charentes. En passant la serpillière – « sinser la place », disait-elle dans le patois du pays – elle chantait le *Temps des Cerises.*

Zoé aurait aimé Louise, la grande « fumelle » bâtie en vachère, des taches de son plein la figure. Elle travaillait de maison en maison. On avait bien essayé de l'apprivoiser en lui proposant un emploi fixe. Elle avait refusé. Elle clamait, les mains sur les hanches, la poitrine agressive :

– Je suis mariée avec personne !

Claire s'était longuement demandée qui était ce monsieur Personne avec qui Louise affichait des épousailles secrètes.

Elle lui jouait un bon tour, Louise. Claire ne savait pas que depuis presque vingt ans, elle s'était logée dans un coin obscur de sa mémoire et qu'elle attendait que Claire fût hésitante au carrefour de l'allée aux cèdres, pour en jaillir avec son claironnant refrain :

– Je suis mariée avec personne !

Elle regarda longtemps les fenêtres ; puis, elle dit adieu aux cèdres et à la musique douce. Elle referma derrière elle la grille du parc et prit l'autobus pour Paris.

Au retour de cette escapade dans son enfance, affamée, elle s'était précipitée dans le restaurant italien, juste en face de leurs fenêtres aveugles. Elle sentait à quel point Valentin et elle avaient présumé de leurs forces. La couleur triste de leur appartement avait déteint sur eux. La fête était terminée ; il fallait survivre.

L'homme fatigué referma ses dossiers, demanda l'addition et partit. Qui lui ferait traverser la rue ? Elle traînerait dans les bars aussi longtemps qu'il le faudrait, mais elle le découvrirait l'inconnu qui lui prêterait sa chaleur sans même lui demander son nom.

Le très jeune homme à la coiffure angélique suçotait une orange givrée et sa belle frange faisait à son regard un auvent. Elle lui demanda du feu. La flamme trembla, puis s'éteignit. Il gratta une seconde allumette qui ne voulut rien savoir. Il était nerveux et ses yeux craintifs lui plurent. Elle lui jeta son rire sonore en plein visage ; il sourit, un peu effrayé, et réussit enfin à embraser la cigarette.

Elle lui confia qu'elle se sentait toujours des fringales de spaghetti et il osa lui demander si elle était italienne. Elle dit que non, mais que l'Italie était sans doute le seul pays au monde où elle pourrait s'expatrier et qu'elle aimait les anges blonds de Fra Angelico. Il rougit. Il ne demandait qu'à se laisser enjôler.

Il traversa la rue, le jeune homme qui s'appelait Frédéric. Elle avait envie de lui prendre la main, de lui recommander de bien regarder à droite puis à gauche, et de lui promettre de bons chocolats fourrés s'il était gentil.

Frédéric avait l'âge de ses élèves ; elle ne crut pas nécessaire de lui préciser qu'elle était professeur.

– Vous habitez seule ? demanda-t-il timidement.

– Non, il y a un homme.

Il fourrageait sa chevelure d'or sans oser s'asseoir.

– Il n'y a rien à craindre. Mario ne rentrera que demain.

– Il s'appelle Mario ?

– Oui, sa mère est sicilienne.

– Il est jaloux ?

– Quelle question ! Il est sicilien.

– Qu'est-ce qu'il fait ?

– Il vaut toujours mieux ne pas demander à un Sicilien ce qu'il fait.

Elle jouait à l'inquiéter ; elle attendait le moment où le jeune animal un peu tremblant réclamerait une caresse et poserait sa belle chevelure sur sa poitrine en murmurant : « Vous ne me faites pas peur. »

Il avait un beau corps qui n'avait pas beaucoup servi et une odeur de savonnette. Il s'inquiétait du plaisir de Claire, et elle le rassurait en câlinant son visage.

Après avoir joui, il ouvrit les yeux, lui sourit comme s'il la découvrait seulement, embrassa son épaule et répéta : « Merci, merci », tout étonné de ce cadeau.

La nuit apprit à Claire qu'un jour elle éprouverait un plaisir entier dans des bras qui ne seraient pas ceux de Valentin. Elle était redevable à Frédéric de cet espoir. Pour l'en remercier, elle lui tira les cartes et lui inventa une dame brune entrant dans sa jeunesse un soir d'hiver pour en sortir au matin. Il ne la reverrait pas. Il ne devait pas chercher à la revoir. Un homme veillait ; brutal, sans scrupules, il ne ferait qu'une bouchée du petit Frédéric. Au matin, Frédéric dirait adieu à la dame brune. Ils se quitteraient, à jamais contents l'un de l'autre.

Frédéric posa son visage de fille sur le coussin de Valentin et s'endormit.

– Il y a une chose bizarre, avait dit Claire à Zoé : jamais je ne me suis endormie dans les bras d'un homme. J'attendais que le sommeil le prenne pour lui tourner le dos et me pelotonner dans mon coin. Parfois, je suis restée des heures éveillée pour sentir sa chaleur ; je choisissais la nuit blanche car je savais qu'il m'était impossible de m'endormir dans ses bras. Et pourtant, je l'aimais.

– Et maintenant ?... Tu l'aimes encore ?

– Je ne sais pas. Je suis trop exigeante.

– Que vaut-il mieux : tout espérer et être déçue, ou ne rien espérer du tout ? Moi, je n'ai pas la foi. J'ai la tête loin du sexe.

La veille, Zoé avait donné une leçon à deux élèves de maths élem. Le problème résolu, l'un des élèves lui avait fait gentiment l'amour, tandis que l'autre, assis sur la carpette, lisait à haute voix des poèmes de Baudelaire. « Comme j'ai eu l'élégance de refuser l'argent de leurs parents, ensuite ils ont pu aller au cinéma », avait-elle ajouté.

Elle ne fut pas surprise le matin où Claire lui dit :

– Donne-moi vite l'adresse de l'hôtel près du lycée, j'y débarque ce soir.

Il ne restait qu'une chambre, au sixième étage. Pas de salle de bains, pas de téléphone. Claire ne demanda pas à voir. Elle s'y installerait en fin de journée.

Elle attendit Jacques à la sortie de son cours. Trois années passées avec lui et son nom qu'elle portait encore. Il faudra redevenir Claire Vaneau au plus vite, pensa-t-elle. Je prendrai le divorce à mes torts. Elle ne se sentait pas fautive, mais à quoi bon expliquer ? Pas de biens, pas d'enfants : des amours stériles, des amours qui n'avaient pas été.

– Je voudrais te parler, lui dit-elle.

– Allons au bistrot.

Claire avait perdu le souvenir de Jacques. Elle se répétait : il fut mon mari, et elle sentait sur lui cette odeur fade d'homme seul.

– Avec Valentin, c'est fini, tu sais.

– Je m'en doute. Tant que ça marchait, tu n'avais pas besoin de me parler. Qu'est-ce que tu vas faire ?

– J'ai retenu une chambre d'hôtel.

– Tu ne veux pas ?...

– Non, Jacques. Merci, dit-elle avec un sourire triste. Merci ; ce n'est pas possible...

– Alors qu'est-ce que tu me voulais ?

– Pourrais-tu m'aider à transporter mes affaires à l'hôtel ?

– J'ai besoin de la voiture.

– Je t'en prie, il ne nous faudra qu'une heure.

– Et Valentin, il ne peut même pas faire ça ?

– Je ne lui ai pas dit que je partais.

Être prévenu alors que Valentin restait dans l'ignorance, ce maigre privilège le décida.

– Je viendrai vers neuf heures.

– Merci ; je n'oublierai pas.

– Tu vas jusqu'à oublier que tu oublies.

La nuit tombait quand elle fit le compte de ses robes, de ses livres. Sa vie tenait en peu de choses. Elle n'emportait rien de Valentin. Les petits bouts de papier avec des cris d'amour et la signature fleurie, elle les déchirait avant de les mettre à la poubelle. Elle aurait aimé les piétiner ces : tu seras pour moi la plus belle... ton corps je le traverserai de part en part... Bon Dieu, que j'ai besoin de toi !... salope, salope, tu m'as eu : je t'aime.

Pourquoi leur orgueil reprochait-il à leurs corps une entente si parfaite ? Pourquoi voulaient-ils se prouver qu'ils n'étaient pas l'un pour l'autre irremplaçables ? Le sale orgueil, toujours lui.

Pour la dernière fois, la voix de Mahalia Jackson, lente, forte : You'll never walk alone. En désordre toutes ces frusques qui faisaient dire à Valentin : que tu es belle en rouge, en blanc ! que tu es belle nue ! Choses et souvenirs en vrac. L'histoire s'émiette.

Elle tenait à ne laisser aucune trace de son passage. Sur la porte, il ne manquerait que le panneau : à louer. On ne trouverait pas l'adresse de l'ancienne locataire.

Elle vit dans la cour, derrière les fenêtres de la chambre, les deux gamins du concierge qui la regardaient. Elle sursauta. Elle s'était toujours sentie traquée dans cet appartement. Ce rez-de-chaussée lui donnait l'impression de vivre dans une vitrine. Il y avait des regards à l'affût. Ils n'avaient pas su mettre l'univers à la porte.

Un matin, elle avait été réveillée par des coups de marteaux. Des hommes parlaient dans la salle de bains. Effrayée, elle s'était levée. Valentin avait oublié le trousseau de clefs sur la porte et des ouvriers qui faisaient des travaux dans la maison étaient entrés sans sonner. L'appartement paraissait si inhabité que, dans sa longue chemise de nuit, elle leur fit l'effet d'un fantôme.

Vieux velours écorchés de tristesse. Ici, elle avait transité quatre mois. Ici, elle avait perdu Valentin.

Voilà. Il faudra se désintoxiquer. La petite douleur au creux de l'estomac : un ulcère qui a faim, faim de toi. Je dirai : c'est drôle cela, il faudra que je le lui raconte. Mais non, je ne pourrai pas te le confier, alors, à quoi bon le vivre ? Cet état de manque jour et nuit. La colonne vertébrale en arc de cercle et la bave aux lèvres. Le haut-mal, j'ai le haut-mal de toi. Jamais, jamais. Il faut que je le sonne le glas du plus jamais, qu'il confirme à mon corps la grande nouvelle de ton absence. Valentin est mort. Il faut que mes bras, que mes seins, que mon ventre, que mes cuisses... douces, tes cuisses, si douces, là à l'intérieur ; tu es si bonne. Tu l'as dit, Valentin ; tu l'as dit un mois et demi avant de mourir. Pourquoi es-tu mort sans moi ? Tu disais : les Hongrois reviennent toujours. C'est le point de non-retour, Valentin. Je ne te laisse pas mon adresse. Tu me tortureras bien assez sans qu'en plus j'attende un coup de téléphone, un message, ou ton grand corps dont je n'ai plus envie, et j'en crève de n'en plus vouloir. Jamais, jamais. Ça sonne, ça cogne, ça hurle.

Tu es la première que... tu es la première qui... et pourquoi pas la seule, Valentin ? Pour un peu, tu l'aurais dit. Eh bien ! oui, Valentin, maintenant que tu es mort, je serai la seule. La seule sans toi ; la seule tout court. Tu ne me retrouveras pas. J'ai changé d'identité. On me nomme : la seule.

Ta marque, je la voulais. Je l'ai. Simplement, elle est négative. Je croyais que tu me ferais les rondeurs de la plénitude ; c'est en creux que tu t'es inscrit en moi. Tu m'as tant serrée ; tu t'es enfoncé si profondément en moi – jusqu'au cœur, jusqu'au cœur, j'irai, répétais-tu – que tu m'as fait cadeau d'un vide douloureux.

Je ne pleurerai pas. Il suffit d'un peu de rimmel pour ne pas pleurer. Je vais me peindre comme une momie. Je ne me maquille pas pour la scène ; je ne me fais pas une beauté professionnelle. C'est pour Claire Vaneau seulement.

Voilà ta femme fardée de si courte durée. Si d'aventure, tu passais la porte, tu me regarderais et tu dirais, faisant fi de ton orgueil :

– Reste ; je t'en prie, reste.

Non, tu ne diras rien. Abattue, triste, je t'attendrirais peut-être. Triomphante, je deviens un piège et tu me fuis.

Hier, Claire avait posé sa main sur l'épaule de Valentin. Elle n'avait pas envie de faire l'amour. Elle voulait seulement sentir Valentin devenir vulnérable entre ses bras. Elle voulait le soumettre et elle se servait de caresses. Avait-il compris ? Ou lui était-elle devenue indifférente ? « Non, Claire », avait-il dit, et il s'était éloigné.

Jacques sonna :

– Tu es prête ? Je t'attends dans la voiture, et il quitta à la hâte les lieux maudits.

Elle remit en place le téléphone qu'elle avait décroché, elle ferma les volets. Puis elle tourna la clé dans la serrure et l'abandonna sous le paillasson.

Le réveil sonnait. D'un geste machinal, Claire appuya sur le bouton et alluma. Il était deux heures du matin. La nuit commençait à peine dans la chambre de sept mètres carrés, au dernier étage de l'hôtel borgne. Encore cinq heures avant le branle-bas du matin : les livres dans le porte-documents, les croissants à la hâte et le boulevard froid balayé par les cantonniers africains.

Un réveil pour rien ? Jamais sonnerie ne lui avait paru plus éloquente. La fenêtre ouvrait sur un avril alourdi d'espoir. Voilà, elle se souvenait : trois heures auparavant, elle avait tourné la petite clé et entendu gémir le ressort. Geste magique. Fallait-il être folle pour vouloir s'éveiller en pleine nuit ! Fallait-il être heureuse pour vouloir nager dans le silence, boire le printemps et guetter en soi la vie.

Elle reprenait conscience après une longue opération. Les chairs étaient déjà presque cicatrisées. Il ne restait plus qu'un picotement diffus, tout juste assez présent pour qu'elle sentît son corps exister. Elle pensait : cette fois encore, je ne suis pas morte ; et, elle s'émerveillait d'entrer en convalescence.

Malade, elle avait été très malade. La petite douleur s'était d'abord localisée au niveau de l'estomac. Quand Claire mangeait, elle avait l'impression de la nourrir. L'acharnée, l'opiniâtre se gonflait, renaudait et poussait des tentacules dans tout son ventre. Même la flamme de l'alcool n'y pouvait rien. Le Vosne-Romanée brûlait la gorge et tournait la tête. La dévorante avait sa vie propre, calme, régulière. Ensuite, elle ne s'était plus contentée de l'estomac. Elle lui infligeait des migraines telles que son gosier refusait toute nourriture et jusqu'à une simple goutte d'eau. La maudite lui faisait le regard vide et une tache de sang à la tempe droite. Claire restait parfois une journée entière sans rien avaler. Le sol se dérobait et elle s'étonnait, Claire qui avait le pied marin, de ne pouvoir se maintenir en équilibre.

C'était une mer étrange qu'elle n'avait pas connue en Charente ; une mer absurde dans cette chambre où les livres empilés sur une table minuscule ne cessaient de chavirer, où les portes de l'armoire bâillaient d'impuissance devant la cargaison de vêtements.

Valentin lui avait apporté la tempête. Aujourd'hui, la tempête la rejetait sur une côte qu'elle connaissait. Elle avait cru se perdre. Sans lui, elle aurait attendu longtemps avant de s'embarquer ; et, peut-être, ne l'aurait-elle jamais entrepris ce voyage. Elle aurait ravalé sa faim et son rire ; immobile, elle aurait attendu. La forêt aurait poussé autour d'elle ; et, si quelqu'un était enfin arrivé, les arbres le lui auraient caché. Ligotée, elle n'aurait pas su fuir. Elle aurait oublié qu'au-delà de la forêt, il y a la mer. Même cette musique du vent à travers les dunes et les pins ne lui aurait plus semblé être le grand bruit de l'Océan tout proche.

Claire pressait contre elle sa solitude, l'enlaçait. Elle respirait son parfum de vieux rêve qui se réalise et d'espoir à peine éclos ; elle aimait sa couleur indéfinie de « tout est possible ».

Dans son miroir, elle regarda la veine bleue à fleur de peau sur sa tempe droite. Défunte, la douleur. La vie s'écoulait sans heurts.

Elle avait envie de nager. Violer l'Océan et le faire jouir sur sa peau. Travailler, apprendre. Mots jaillis des livres ; mots éclatés sur une scène, rouges avec des pétales charnus. Elle ne se révoltait plus contre l'idée de cheminer lentement. Elle chercherait ; elle finirait bien par trouver.

Un jour, il faudra qu'elle lui dise merci.

Laisser passer le temps ; elle ne l'oubliera pas cette histoire. Elle restera le moment où tout change. La petite douleur ne la gêne déjà plus. Elle a cessé d'exister et de se plaindre.

Oui, dans un an, peut-être davantage, elle lui dira merci. Merci d'avoir été le détonateur. Elle aura quitté l'hôtel ; elle aura trouvé un appartement. Un jour, il lui téléphonera et elle dira :

– Mais, c'est pas vrai !

– Si, répondra-t-il de cette voix timide et agressive.

– Un revenant, un revenant ! répétera-t-elle.

Elle rira. Elle n'aura plus peur ni de Valentin, ni d'elle-même. Le soir, il viendra dîner. Elle ouvrira de belles huîtres qui auront le parfum de son enfance, car elle aura tout retrouvé. Sa vie entière se sera recomposée, unifiée ; pas une seule parcelle ne sera laissée pour compte.

Il arrivera et ce sera comme s'ils s'étaient toujours connus, jamais quittés. Pas de nostalgie, pas le moindre désir d'ajouter un chapitre à leur roman. Non, le sentiment d'avoir vécu quelque chose de rond, d'achevé. Pas l'amour, pas la passion, à peine la tendresse : un instant de vie en commun, le meilleur.

Ils parleront le rire aux lèvres, le cognac au bout des doigts. Ils auront des mines bravaches d'anciens combattants pour clamer : « J'ai fait Istanbul, moi Monsieur. » Il y aura de la fierté dans leurs voix et dans leurs regards. De quoi être fiers, sinon de ce que l'on a vécu à la folie, à la perfection ?

Ils inventeront des formules pour moquer la sagesse des nations : On a l'Istanbul que l'on mérite. S'il n'y avait pas Istanbul, il faudrait l'inventer. Dis-moi qui est ton Istanbul et je te dirai qui tu es.

Ils parleront des hommes, des femmes, des nouveaux visages avec sincérité, sans que la jalousie vienne rompre leur harmonie, assurés qu'ils seront d'être l'un pour l'autre irremplaçables. Il n'y a qu'une seule Istanbul dans une vie.

Il lui dira du fond de son regard fou : « La salope, elle retombe toujours sur ses pieds. » Elle se sentira tellement heureuse d'être ce chat agile qui n'a besoin de personne. Et, parce qu'elle sera devenue très forte, elle ira jusqu'au bout de la confidence :

« Tu sais, il m'arrive aussi de souffrir ; mais, comme je n'aime pas ça, j'essaie que ça dure le moins longtemps possible. La douleur, c'est un long parcours à moto ; c'est bon quand ça s'arrête. Et puis, pour les autres c'est mieux. Elle est dure, dit-on. D'abord ça les effraie les autres de me croire invulnérable ; ensuite ça les rassure. Avec quelqu'un qui a l'art des rétablissements, on se sent moins responsable. »

Voilà qu'elle faisait des projets d'avenir à deux heures du matin, dans un hôtel minable de Clichy. D'avenir ? Elle n'était pas voyante, tout juste extra-lucide. Elle allait avoir une bonne convalescence. C'était dommage de se rendormir alors qu'elle avait tant de choses à faire.

Elle était drôle cette quiétude ; elle ne sentait pas le vieux. Elle n'avait pas le goût des tant pis, des petits matins à la bouche pâteuse, des réveils après le trop manger ou le trop bu. Non, elle était douce, calme, ouverte sur le monde. Cette quiétude, elle faisait des printemps et des océans, au sixième étage d'un hôtel borgne.

Et si c'était cela le bonheur : faire sonner son réveil à deux heures du matin, simplement pour se sentir vivre ?

L'impression de ce livre
a été réalisée sur les presses
des Imprimeries Aubin
à Poitiers/Ligugé

Achevé d'imprimer le 5 juin 1981
N° d'édition, 3249. – N° d'impression, L 13678
Dépôt légal, 2e trimestre 1981

51.21.1314.01
ISBN 2.7202.0167.7

*Imprimé en France*

51.1314.7